I

이론적 배경

1. 인형치료의 이해

인형은 인간과 가장 유사한 형태를 가진 인간의 대체물로서의 인형의 기원은 인류 역사와 같이 출발했으며, 인간이 존재한 곳이면 어디에나 있었다. 고대에는 일반적으로 행복을 부르고 재앙을 쫓아내는 종교적인 의미로 인형이 만들어졌다. 또는 귀인의 부장품과 아이들의 장난감으로 인간의 옆자리로 항상 존재해왔다. 이러한 인형은 각기 주술적 목적의 인형으로 활용되었을 뿐 아니라 오랜 기간 동안 인형극 등의 놀이 장르를 발전시켜 왔다. 이처럼 인형은 원시시대부터 있었던 인간의 발명품 중의 하나로 의식주와는 상관없는 심리적 도구였다고 할 수 있다(최광현, 선우현 2016). 즉, 인간은 인형을 친밀함과 위안을 얻고 자기감정을 투사하는 도구로 사용해 왔다.

이러한 맥락에서 인형을 심리치료에 이용하여 무의식에서 만들어지는 상징에 대해 관심을 가지고 심리치료에 활용하는 상담이론이 바로 인형치료(figure therapy)이다(최광현, 선우현, 장화정, 강인수, 김다애, 2016). 인형은 인간의 필요에 의해서 만들어진 가장 오래된 물건 중 하나일 뿐 아니라 인간과 가장 오랫동안 함께해 온 존재로서, 인간의 속마음을 효과적으로 표현할 수 있으며 우수한 심리적 기제로 활용될 수 있다. 인형치료는 심층심리학, 가족체계이론과 트라우마 가족치료, 그리고 현상학적 인식론을 이론적 토대로 삼고 있으며, 인형치료는 상징체계를 활용하는 치료적 접근으로, 동물 인형과 가족 인형을 사용한다(최광현, 선우현, 2015).

1) 무의식과 상징체계를 활용하는 인형치료

인간의 의식 속의 모든 개념은 그 자체의 심리적 연상을 지닌다. 이런 연상은 그 강도가 서로 다를 수 있기는 하지만 인간의 전인격이 수용하는 그 개념의 상대적 중요성에 따라서 혹은 그 개념이 우리의 무의식에서 연상시키는 관념이나 콤플렉스에 따라서 연상 자체는 그 개념의 원래의 성격을 바꿀 수 있다. 무의식에 있어 이러한 잠재적인 측면은 대단히 중요하다. 왜냐하면 잠재적 측면이야말로 우리의 의식적 사고의 보이지 않는 뿌리이기 때문이다(Jung, 1996).

인형치료는 인형이라는 상징을 통해 무수한 감정, 욕구, 생각, 신념 등의 잠재적인 무의식을 표현할 수 있도록 돕는다. 인형은 은유를 만들 수 있는 장치로서 내담자가 자기의 문제를 가장 효과적으로 전달하게 해 주고, 치료사 역시 내담자에게 효과적으로 해석을 전달할 수 있게 해 준다. 인형이 만들어내는 내담자로 하여금 그들의 문제와 관련된 추상적인 것과 구체적인 것을 통합하여 표현하게 해 주며, 의식과 무의식의 내용을 중재하여 내면 밖으로 표출하도록 이끈다. 따라서 치료 과정에서 은유의

Korean Association of Figure Therapy

인형심리평가

최광현 · 선우현 공저

한국인형치료연구회

차 례

사용은 놀라운 치료적 효과를 만들어 낸다(최광현, 2013b). 인형을 통해 치료적 은유가 나타나면 자연스럽게 치료적 해석이 뒤따른다.

인형은 시각적 이미지를 형상화시켜 놓은 것으로 여기에는 일정한 상징체계가 존재한다. 특히 인형치료에서는 동물상징체계를 활용하고 있다. 동물인형은 정제되고 단순한 상징 언어이기에 인형의 상징을 관찰, 탐색하는 눈을 갖게 되면, 우리는 무의식에서 수없이 많은 에너지와 이미지의 흐름을 통해 가족관계 갈등이나 어린 시절에 해결하지 못한 부모-자녀 관계 등에 대한 무의식적인 외상으로 지속적인 마음의 깊은 상처로 갈등과 문제를 안고 있는 내담자들의 특징을 알 수 있다(노경희, 선우현, 최광현, 2016).

동물인형은 자신의 무의식을 탐색하는 상징도구로 활용되며, 의식 속에서 표현하고 통합, 개입하는 데 도구로 사용된다. 인형치료에 있어서 인형은 가족의 이미지를 창조하고 또 발생한 이미지를 상징으로 이용하는 특별한 도구가 된다(최광현, 선우현, 2016). 내담자는 가족 안에서 경험한 수많은 무의식적인 재료들을 인형을 통해 표현한다. 이에 대해 최광현(2013b)은 "인형은 내담자가 경험한 가족 무의식의 강력한 역동을 표현할 수 있는 살아있는 무의식의 모자이크다. 이 모자이크는 무의식 안에 있는 가족과 관련된 엄청난 에너지 체계, 상호작용, 갈등이나 움직임을 나타낸다(p. 13)"고 말한다.

이처럼 인형은 가족의 이미지를 창조하고 또 발생한 이미지를 상징으로 이용하는 특별한 도구가 된다. 따라서 훈련을 통해 인형의 상징을 관찰하는 눈을 갖게 되면, 우리는 무의식에서 거의 쉼 없이 흘러나오는 수많은 에너지와 이미지의 흐름을 알아차리게 될 수 있다(최광현, 2013b).

인형치료에서는 상징물들의 이미지를 심층적으로 분석하고 해석하지 않는다. 상담사는 동물인형이 갖는 상징을 분석하고 해석만 하기보다는 내담자에 의해 세워진 상징의 이미지의 흐름 속에서 관계적 차원을 살피고 주어진 맥락에서 이해하는 특징을 갖는다.

2) 인형치료에서의 동물 상징체계의 활용

Jung(1996)은 『인간과 상징』에서 인간은 상징을 만드는 경향을 갖고 있으며 무의식적으로 물건이나 형태를 상징으로 만들거나 미술로 표현한다고 말한다. 인간은 상징을 통해 심리적으로 중요한 의미를 부여하는 것이다. Jaffe(1983)는 예술이 가지는 상징성과 그러한 상징성의 특성을 나타내기 위해 모든 시대를 통해 반복적으로 나타나는 세 가지 모티브가 있다고 말한다. 그것은 돌, 동물, 원이라고 말한다. 이 세 가지의 모티브는 인간이 의식을 상징으로 표현하던 먼 시대부터 극도로 세련된 현대에 이르기까지 심리적으로 중요한 의미를 지닌다는 것이다. 인간에게는 무수한 많은 상징체계들이 존재한다. 특히 고대로부터 자연물을 통한 상징체계는 인간의 역사와 함께 해 왔다.

그 가운데 인형치료가 동물상징체계에 주목할 수 있는 이유는 크게 다음의 세 가지 측면에서이다.

첫째, 동물은 다른 자연물보다 인간과 '심리적 동일성'을 가지고 있어 신화, 상징의 영역을 보다 잘 보여주고 있다.

둘째로 동물상징은 '종교 상징'으로 개념화되는 과정을 통하여 인간과 사회적 맥락과의 연계성을 풍부하게 보여준다.

셋째는 동물에 관한 심리적. 종교적 상징이 표상인 시각적 이미지로부터 예술이 비롯되었다고 볼 수 있기 때문이다.

Jung(1996)은 신화는 인간의 의식과 무의식 속에 담겨 있는 '원형적 패턴(archetypal pattern)' 이라고 보았다. 융은 오직 신화와 같은 상징체계를 통해 가장 깊은 무의식을 발견할 수 있다고 말한다. Jung은 신화가 집단무의식의 표현인 원형이라고 보았다. 우리는 각자 이 신화 양식 덕분에 이 원형에 참여하게 된다. 이 원형은 우리의 내면을 분석하고 자기정체성을 알게 해주는 도구인 것이다. Freud가 신화를 통해 상징체계를 연구했다면 Jung은 그림, 모래, 돌 등 보다 다양한 상징체계를 활용하여 인간 내면을 탐구하였다.

고대인들은 자신의 영혼과 숲의 영혼을 동시에 가지고 있다고 생각했다. 숲의 영혼은 야생동물이나 나무의 모양을 하고 나타난다고 믿었는데, 고대인들은 그것과 심리적 동일성을 가졌다. 이러한 동일성은 고대인들이 자연의 초월적인 개념이나 법칙에 접했을 때 자연 그대로 나타나는 현상을 보는 것이 아니라, 더 우월하게 생각되는 그 무엇에 대한 관념을 상상하기 때문에 나타난 것이다. 그 관념은 성스러움으로 표현되고 성스러움은 곧 자연과 인간, 양자의 근원적인 관계에 대한 암시로 구현된다. 인간이나 자연은 이 관계를 벗어나서는 자신의 존재를 가질 수 없으며, 양자가 서로 분리된다는 것은 생명의 상실됨을 의미하는 것이다. 이러한 분리 속에서 자연을 영위할 수는 있으나 가질 수는 없는 무한한 것이라 인식되었고, 이해 할 수 없는 초자연적인 세계를 붙잡아 내는 역할을 하는 것이 상징인 것이다(신효인, 2012).

인간은 예로부터 상상의 동물을 통해 절대적인, 완전과 같은 초인간적인 경지를 열망하는 인간의 바람을 표현해왔다. 또한 무의식의 원형(原型)을 예술로 표출시킴으로써 심리적인 안정을 얻을 수 있었다(곽태임, 2005). 구석기 시대가 자연주의 경향이었다면 신석기 시대 미술의 특징은 추상적 관념성과 상상력의 작용이라 할 수 있다. 이러한 특징은 그 시대의 생활상과 밀착되어 근본적이고 구체적인 상징성으로의 의미전

환을 거치게 되며, 이로써 주술적 의식행사를 할 때 실제 동물이 아닌 그 동물의 그림을 대신 이용할 수 있게 되었다. 이때의 동물이미지는 대상의 재현이고 대상 자체라 볼 수 있다. 또한 소망의 표현이며 소망의 달성이었다(Hauser, 2016).

구석기 시대부터 현대에 이르기까지 동물의 힘, 민첩성, 용맹, 고집, 교활, 수호, 배반 또는 신체적 형태, 색, 습성, 거주지와 같은 다양한 이미지는 상징적으로 표현된다(최광현, 2016). 동물상징체계는 미술사가 시작되는 시점부터 중요한 상징적 모티브의 하나로 다루어져 왔으며, 현대 예술가들에게도 꾸준히 다루어지고 있다. 미술사의 흐름 속에서 다양한 형태로 등장해온 동물의 이미지는 구체적인 형상을 재현하는 방법으로 표현되기도 했고, 인간의 상상을 통해 변용이미지로 표현되기도 하였다. 특히 인간의 상상작용에 의해 만들어진 동물이미지는 원시시대부터 현재까지 미적대상 그 이상인 인간정신의 반영으로 또는 친근한 존재나 숭배대상의 상징으로 형상화되어 왔다. 최근에는 다양한 의미와 기법을 통해 사회적인 문제와 이슈를 동물이미지로 표현하기도 한다.

일반적으로 동물은 인간의 원시적이고 본능적인 성질을 상징한다(Jung, 1996). 문명인이라고 하더라도 무의식에서 분출되는 자율적인(autonomous) 정서 앞에서는 그것이 뿜어내는 본능적 욕구에 손을 들 수밖에 없다. 따라서 인간의 내부에 심상으로 존재하는 동물적 본능은 그 존재의 주인이 그것을 인식하고 자기의 삶 속으로 통합시키지 않는다면 대단히 위험한 존재로 변용될 수 있다. 인간은 스스로의 의지로 동물적 본능을 억제할 수 있는 힘을 가진 유일한 생물이다. 하지만 동시에 본능을 억제하고 왜곡하고 스스로 상처를 입히는 존재이기도 하다. 은유적으로 말하자면, 동물이란 상처를 입으면 야만적이고, 따라서 대단히 위험한 존재로 돌변한다. 그러므로 억압당한 본능은 인간을 지해할 수도 있고 때로는 인간을 파멸시킬 수도 있는 것이다.

이처럼 동물상징체계는 단지 상징의 중요성만 강조하는 것이 아니라 상징의 정신적 내용물로서의 본능과 인간의 삶의 통합이 얼마나 중요한 것인지 보여준다(Jung, 1996). 동물상징체계의 본능과 삶의 통합에 대해 동물상징체계는 상징의 중요성만 강조하는 것이 아니라, 상징의 정신적 내용인 본능과 삶의 통합이 얼마나 중요한 것인가를 보여주는 것이다.

3) 현상학적 인식 도구로서의 인형치료

인형치료는 인형을 통해 내담자의 문제와 갈등을 '지금-여기'의 공간 속에서 나타나게 하며 이를 통해 해결해 나가는 치료모델로, 상담 현장에서 드러난 현상에 집중함으로써 가족의 실체와 숨겨진 가족의 모습을 볼 수 있게 되는 과정을 '현상학적 방법'이라 부른다(최광현, 2014b).

인형치료는 현재의 갈등과 과거의 불행한 경험을 분리시키는 작용을 한다. 인형치료는 인형을 통해서 현재의 갈등이 단지 현재에서 온 것이 아니라는 사실을 파악하게 하고, 현재의 갈등에 대한 과거의 영향을 객관적으로 볼 수 있도록 하는 좋은 도구이다. 동물인형과 가족인형이라는 상징물들을 통해 내담자는 한눈에 그동안 스스로 가족 안에서 어떤 역할을 했었는지, 가족들이 어떤 상호작용 패턴을 나타내고 있는지를 보며, 자기의 과거와 현재, 그 사이에 있던 과거의 영향을 탐색하면서 현재의 삶을 직시할 수 있게 된다.

상징을 지닌 인형의 특징은 이미지를 통해 추상적이거나 비언어적인 부분을 의미론적이고 언어적인 부분으로 확장하여(최광현, 2014), 손으로 인형을 움직이고 배치시키는 작업을 통해 느낌을 투사할 수 있도록 돕는다. 내담자가 인형을 선택하는 과정에서 자신이 겪은 갈등과 혼란 속에서 억압하였던 요소들을 표현하게 되는데, 선택된 인형은 내담자의 자아를 상징하며 확대된 범위의 자기대상을 의미한다. 이처럼 인형은 내담자 마음의 부담감을 없애고 편안함을 제공할 수 있으며 상담에서 인형을 활용할 시에 속마음을 표현할 수 있도록 도우며(최광현, 2013). 상담이나 치료에 저항감을 가지고 있거나 갈등을 언어화하기 두려워하는 내담자에게 효과적인 의사소통 도구가 될 수 있다(김명숙, 최광현, 2015).

현상학적 기초를 전제하는 인형치료는 내담자의 위기를 단지 외형적으로만 관찰하는 것이 아닌 그 현상 자체에 초점을 맞추며, 이를 통해 내담자가 무엇을 생각하고 느끼는지 그리고 더 나아가 그 의미가 무엇인지를 파악하려고 한다(최광현, 선우현, 2016). 학대로 인한 무력감으로 불안하고 위축되고 경직된 아동들도 최소한의 움직임으로 편안하게 동물인형을 선택하고 놓음으로써 학대사실에 대한 진술, 자기인식 및 가족관계의 인식 등 아동이 인식하는 바가 상징과 은유를 통해 쉽게 표현되었다(강소민, 선우현, 2019).

인형치료는 현상학적 기초 위에서 상담사가 일방적으로 원인을 분석하여 결과를 얻어 문제를 해결하려고 하지 않는다. 상담사는 내담자가 문제를 해결할 수 있는 가능성을 스스로 마련하도록 돕는다. 또래관계의 어려움을 호소하며 학교부적응을 겪고 있지만 상담을 거부하는 비자발적 청소년 내담자가 동물인형을 직접 스스로 선택하는 행위는 상담에 대한 자발성 촉진으로 이어져 자기와 타인에 대한 인식을 넘어 상담자와의 관계형성을 넘어 상담에 몰입하는 효과를 가져왔음이 보고되었다(배우열, 선우현, 2017). 이처럼 인형치료는 상담사와 내담자의 관계에서 내담자는 객체로 인식되는 것이 아닌 주체로서 인정되며 상호주관적 관계가 될 수 있다.

4) 인형치료의 치료 목표

인형치료는 상징체계를 통해서 내담자 스스로 왜곡된 시각의 패턴을 알게 하고 변화를 원했을 때 관점의 왜곡을 불러온 문제체계를 다루면서 변화를 시도한다. 내담자의 부정적 시각은 단지 시각과 사고의 단순한 형태에서 온 것이 아니다. 과거의 상처받은 나를 만나고, 더 이상 상처받지 않으려고 만든 방어 전략을 수정함으로써 변화가 시작된다. 치료를 위한 불행에 대한 의미의 전환은 우리에게 상처를 바라보는 새로운 시선을 제공한다. 상처의 궁극적 도달 지점은 상처를 해결하는 것이 아닌 성장하는 것이다. 본인의 의지와는 상관없이 억지로 상처를 받았지만 그것에 대응하는 과정 속에서 뜻하지 않던 소중한 가치들을 얻게 된다. 문제와 갈등은 극복해야 할 존재이기보다 상처에 대응하면서 얻게 된 소중한 가치들을 발견하고 자기의 삶 속에 통합하는 것이다.

인형치료는 무의식이 작용하는 상징을 이용하여 내담자의 자기 인식을 돕고 자기를 객관화시킬 수 있는 가능성을 제공한다. 내담자는 상징을 통해 자신의 문제를 좀 더 안전하게 만나게 됨으로써 자기 자신과 자기를 둘러싼 문제체계에 대한 변화를 얻게 된다(최광현, 선우현, 2016). 상처와 아픔을 갖고 있는 내담자를 치료하기 위해서는 새로운 의미를 찾아내어 자신의 문제와 아픔을 바라보는 관점의 변화를 일으켜야 한다. 자신에 대한 새로운 의미를 찾게 되면 그때 비로소 문제를 바라보는 새로운 의식의 전환이 가능해진다. 한 인간이 변화하기 위해서는 자기 자신과 자신을 둘러싼 상황을 바라보는 관점에 변화가 일어나야 한다. 그러기 위해서는 기존의 의미 체계를 해체하고 새로운 의미로 전환해야 한다.

의미 전환은 내담자가 자신의 고통과 갈등을 새로운 시각으로 볼 수 있게 해 준다. 의미전환은 내담자가 문제를 다른 방향으로 개념화하게 하는데 있어 기본이 되고 문제의 새로운 해결 방안을 찾아낼 가능성을 높여준다. 상담사는 가능한 한 내담자가 긍정적인 측면에서 상처와 의미를 발견하도록 돕는 동시에 내담자가 자신과 자신을 둘러싼 상황을 객관적으로 볼 수 있도록 재구성하는 것을 도움으로써 증상에 새로운 의미를 부여할 수 있도록 돕는 촉진자의 위치에 서야 한다.

Rollo May(2015)는 상징이 달라지면 기억도 달라진다고 말한다. 과거의 트라우마에 대한 기억을 실제 과거와는 거의 관련이 없으며, 오히려 현재와 더 많은 관계가 있다. 우리는 과거의 트라우마의 기억을 불러낼 때마다 덧칠 작업을 한다. 다시 말해 우리의 트라우마에 대한 모든 기억은 완전히 객관적일 수 없다. 우리에게 영향을 미치는 것은 과거 그 자체가 아니라 그 과거와 관계를 맺는 방법이다. 따라서 문제 해결을 위한 중요한 전제는 트라우마 자체의 기억을 도려내는 것이 아니라 언제든 편집될 수 있는 트라우마의 기억을 현재 속에서 재편집하고 가공하는데 있다. 트라우마의 기억을 편집하기 위해 트라우마를 바라보는 관점의 변화, 시각의 변화가 필요하다(최광현, 선우현, 2016).

2. 인형심리평가의 이해

1) 인형심리평가의 목적

심리평가라 함은 일반적으로 의뢰된 내담자 및 내담아동/청소년에 관한 정보를 체계적으로 수집하고 분석하여 현재 의뢰된 문제의 원인을 파악한 후 분석하여 평가결과를 토대로 치료 및 중재방향을 결정하는 전문과정이라고 정의하고 있다(윤치연, 2016). 심리평가는 발달지체, 장애 혹은 장애위험이 있는 아동을 조기에 발견하여 적절한 서비스를 제공하기 위함인 발달평가가 있으며, 개인의 심리적 특성을 이해하기 위한 전문적 과정으로 개인에게 발생한 문제를 해결하기 위해 의뢰된 사유의 중재 및 치료를 위한 심리평가가 있다(곽금주, 2002).

인형심리평가는 동물인형을 통해 현재 의뢰된 내담자 및 내담아동/청소년의 심리적 특성을 체계적으로 수집하고 분석하여 문제해결을 위한 중재 및 상담방향을 결정하도록 돕기 위한 심리평가의 일종이다. 인형심리평가는 심리상담, 학교상담 및 사회복지의 차원에서 개인에게 발생한 부적응문제에 적절한 중재나 상담서비스를 제공하기 전에 가장 먼저 선행해야 하는 중요한 단계이다. 내담자 및 내담아동/청소년의 심리적 특성을 객관적이고 체계적으로 파악하고, 강점과 약점에 따른 효율적이고 효과적인 중재 및 상담방안을 마련하는데 그 목적을 두고 있다.

인형심리평가는 내담자의 문제를 사정할 수 있는 효과적인 도구인 동물인형을 사용함으로써 내담자가 호소하는 문제에 거부감 없이 보다 안전하고 쉽게 다가갈 수 있다. 또한 내담자 스스로가 자신과 타인을 어떻게 인식하고 있는지 그리고 타인 및 가족 간의 관계와 상호작용이 어떠한 방식으로 이루어지고 있는지 인식할 수 있도록 도움으로써 심리평가의 기능 뿐 아니라 치료적 기능을 포함한다. 더 나아가 인형심리평가를 통해 다양한 대상에서 나타난 공통된 심리적 특성을 평가할 수 있다.

2) 인형심리평가의 방법

심리평가는 모든 중재 및 상담의 첫 번째 과정이기 때문에 정확하고 신중하게 이루어져야 한다. 인형심리평가는 상담현장에서 객관적이고 양적으로 평가하는 과학적 방법이기 보다는 평가자의 경험과 직관, 통찰에 의한 임상적 경험을 토대로 한 임상적 평가 방법을 사용한다. 따라서 표준화된 채점과 해석절차를 따르는 형식적 평가가 아닌 면접 및 관찰 등과 같은 비형식적 평가방식을 따른다.

인형심리평가는 구조화된 면접과 관찰의 절차를 통해 질적으로 평가하는 방식으로서 비구조화되고 모호하고 다양한 반응을 허용하는 투사적 검사에 해당한다. 구조화된 검사과제를 이용하여 실시, 채점, 해석이 동일하도록 모든 형식과 절차를 엄격하게 통제한 표준화검사와는 달리 내담자 및 내담아동/청소년이 현재 경험하고 있는 심리적 현상에 초점을 두기 때문에 비구조화된 그러나 표준화된 상황에서 내담자 및 내담아동/청소년의 반응이 제한되지 않는다는 장점이 있다.

따라서 인형심리평가는 평가되는 내용이 검사의 목적에 따라 일정하게 제시되어 있고 일정한 형식에 따라 반응하게 되는 투사적 방법을 따르고 있으며 개개인이 보이는 다양하게 표현된 반응이 개인의 심리적 특성을 이해하는데 매우 유용하다는 장점이 있다. 또한 평소에 의식화되지 않던 사고와 감정이 자극됨으로써 전의식적 또는 무의시적 차원의 심리적 특성이 반응될 수 있다. 객관적 검사와 다르게 자극의 내용이 불분명하기 때문에 자신의 반응내용을 검토하고 자신의 의도에 맞추어 방어하는 태도를 차단할 수 있어 검사실시에 있어서 내담자 및 내담아동/청소년의 저항을 최소화할 수 있다. 그럼에도 불구하고 투사검사는 신뢰도가 부족하고 타당도 검증이 매우 빈약하다는 연구결과들이 보고되고 있으며 평가자의 태도에 영향을 받는다는 단점이 있다.

3) 인형심리평가의 절차

(1) 인형심리평가를 위한 준비물

동물인형 모형물이나 동물인형 카드(동물인형 53개, 자연물 1개로 구성)

인형가방

인형깔개

인형심리평가 매뉴얼

안전하고 보호된 공간

(2) 54개 동물인형(자연물 1개 포함)

강아지, 개구리, 거북이, 고릴라, 고래, 고양이, 고슴도치, 공룡, 기린, 나비, 낙타, 늑대, 다람쥐, 닭, 독사, 독수리, 돌고래, 돼지, 말, 멧돼지, 물개, 미어캣, 버팔로, 부엉이, 북극곰, 불곰, 병아리, 백조, 뱀, 상어, 수사슴, 수사자, 양, 악어, 알에서 나오는 병아리, 암사자, 어린양, 여우, 앵무새, 원숭이, 젖소, 조개, 코알라, 코뿔 소, 코끼리, 캥거루, 토끼, 팬더곰, 학, 호랑이, 흑표범, 나무

(3) 초기면접 시 정보수집 단계

일차적으로 심리평가를 시작하기 전 평가자는 내담자 및 내담아동/청소년의 다양한 정보를 초기면접 과정에서 수집해야 한다. 평가를 시행하는 기관의 특성과 평가대상에 따라 적절하게 사용하는 것이 필요하다. 평가자가 인형심리평가 전에 자료를 충분히 얻는다면 결과해석에서 정확한 진단 및 추론을 이끌어내기 쉽다. 따라서 가족관계 및 발달사 및 문제가 발생한 상황 등에 대한 순환적 질문을 통한 면접을 활용하면 내담자 및 내담아동/청소년에 관한 배경정보를 보다 쉽게 수집할 수 있다.

객관적이고 명확하게 정보를 수집하는데 유용한 방법 중 또 하나는 행동관찰이다. 초기 면접 과정에서부터 평가과정의 마지막 순간까지에 나타난 내담자 및 내담아동/청소년의 행동평가는 개개인의 특성이나 문제를 객관적으로 이해하는 데 도움이 된다. 초기 면접 및 평가 상황에서 어떤 행동과 반응을 하는지를 외모, 자세, 태도, 특이하거나 반복된 행동패턴, 목소리, 단어사용 등 언어적 혹은 비언어적 의사소통 모두 관찰함으로써 평가결과와 관련하여 상호보완적 역할을 할 수 있다.

(4) 인형심리평가 실시단계

인형심리평가는 동물인형을 통해 현재 자신이 경험한 환경 속에서 자신과 타인인식 수준을 볼 수 있으며, 이것이 가족과 대인/또래 관계 및 사회적 상호작용에 어떠한 영향을 주고 있는지를 찾아내고자 한다. 인형심리평가는 첫 번째로 내담자 및 내담아동/청소년에게 동물인형을 선택하여 세우게 한 뒤 자기인식 및 타인인식의 인식차원과 가족관계 및 대인/또래관계의 관계차원에서 동물이 세워진 구조를 분석한다. 두 번째로 동물인형을 선택한 이유에 대해 질문을 하고 답변을 기록한다.

실시과정에서 탐색해야 할 주제영역을 구체적으로 살펴보면 다음과 같다.

첫째, 자기인식 영역으로 동물인형 중 나라고 생각되는 동물과 소망하는 동물을 골라 세우게 하고 그 동물을 선택한 이유에 대해 질문한다.

둘째, 타인인식 영역으로 동물인형으로 동물의 왕국을 만들게 한 후 어떤 세상을 꾸민 것인지 질문한다.

셋째, 가족관계 영역으로 나를 포함하여 현재의 가족을 모두 동물로 선택하여 친한 동물들끼리 세우게 한다. 그 이유를 물은 뒤 마지막으로 소망하는 가족이미지를 동물로 선택하여 세우게 하고 그 이유에 대해 질문한다.

넷째, 대인/또래관계 영역에서 성인 내담자에게는 현재 자신이 관계를 맺고 있는 사람들을 동물로 선택하여 친한 동물들끼리 세우게 한 뒤 소망하는 주변인들의 이미지를 동물인형으로 선택하여 세우게 하고 그 이유에 대해 질문한다. 아동 및 청소년 내담자에게는 생각나는 또래친구들을 동물인형으로 선택하여 친한 동물들끼리 세우게 한 뒤 소망하는 친구들의 이미지를 동물인형으로 선택하여 세우게 하고 그 이유에 대해 질문한다.

인식차원에서의 자기인식과 타인인식을 실시한 후 관계차원에서의 가족관계와 또래 및 대인관계를 세우도록 한다. 구체적인 인형심리평가의 실시과정을 요약하면 다음과 같다.

<표 1> 인형심리평가 실시과정

<table>
<tr><td rowspan="3">인식
차원</td><td rowspan="2">자기
인식</td><td>· 내담자에게 54개의 동물인형 중 현재 자신이라고 생각되는 동물 인형을 4개 선택하게 한다.
· 평가자는 내담자에게 각각의 동물 인형을 선택한 이유를 묻고, 진술내용을 기록한다.</td></tr>
<tr><td>· 내담자에게 54개의 동물인형 중 자신이 되고 싶은 소망의 동물인형을 4개 선택하게 한다.
· 평가자는 내담자에게 각각의 동물인형을 선택한 이유를 묻고, 진술내용을 기록한다.</td></tr>
<tr><td>타인
인식</td><td>· 내담자에게 54개(혹은 동물인형 2세트인 108개)의 동물인형들 중 자신이 원하는 동물들을 선택하여 동물들이 사는 동물의 세계를 만들게 한다.
· 평가자는 내담자에게 어떤 동물들이 모여 사는 동물의 세계를 만든 것인지 소개해달라고 한 후 진술내용을 기록한다.
· 평가자는 내담자가 만든 세계에 이름을 짓게 하고, 00 세계라고 명명하게 한다.</td></tr>
<tr><td rowspan="3">관계
차원</td><td rowspan="3">가족
관계</td><td>· 내담자에게 현재가족을 모두 동물인형으로 고르게 한다.
· 자신을 포함하여 선택한 동물인형으로 구성된 가족 구성원을 원하는 위치에 세우게 한다.
· 평가자는 내담자가 세운 각각의 동물인형에 대해 선택한 이유를 묻고 진술내용을 기록한다.</td></tr>
<tr><td>· 내담자에게 정서적 거리감이 표현되도록 친한 가족 구성원들끼리 배치하게 한다.
· 평가자는 내담자가 배치한 동물인형을 보고 어떤 가족 구성원이 서로 친하고 어떤 가족 구성원이 서로 친하지 않는지 묻고 그 이유를 말하게 한 후 진술내용을 기록한다.</td></tr>
<tr><td>· 평가자는 내담자에게 현재가족을 소망하는 동물인형으로 고르게 한다.
· 평가자는 내담자에게 자신을 포함하여 선택한 동물인형으로 구성된 가족 구성원을 원하는 위치에 세우게 한다.
· 평가자는 내담자가 세운 각각의 동물인형에 대해 선택한 이유를 묻고 진술내용을 기록한다.</td></tr>
</table>

<표 1> 인형심리평가 실시과정 (계속)

		· 내담자에게 현재 생각나는 친구나 동료를 모두 동물인형으로 고르게 한다. · 자신을 포함하여 친구나 동료를 원하는 위치에 세우게 한다. · 평가자는 내담자가 세운 각각의 동물인형에 대해 선택한 이유를 묻고 진술내용을 기록한다.
관계 차원	대인/또래 관계	· 내담자에게 정서적 거리감이 표현되도록 친한 친구들 혹은 동료들끼리 배치하게 한다. · 평가자는 내담자가 배치한 동물인형을 보고 어떤 친구 및 동료가 서로 친하고 어떤 친구 및 동료가 서로 친하지 않는지 묻고 그 이유를 말하게 한 후 진술내용을 기록한다.
		· 평가자는 내담자에게 친구나 동료를 소망하는 동물인형으로 고르게 한다. · 평가자는 내담자에게 자신을 포함하여 선택한 동물인형으로 구성된 친구나 동료를 원하는 위치에 세우게 한다. · 평가자는 내담자가 세운 각각의 동물인형에 대해 선택한 이유를 묻고 진술내용을 기록한다.

4) 인형심리평가 보고서 작성

평가자는 인형심리평가 과정에서 나온 사진자료와 구조화된 질문에서 나온 답변 자료를 토대로 구조화된 보고서를 작성하게 되며, 내담자 본인, 부모, 학교담당자 그리고 아동 및 청소년의 경우는 의뢰한 보호자에게 구두로 검사결과를 전달하게 된다.

평가자는 보고서 작성 시 개입된 모든 사람이 평가과정의 마지막 결과를 알고 싶어 한다는 점을 고려하고 내담자의 강점과 약점을 결정하여 도와줄 수 있는 요소를 모색하는 것이 필요하다. 즉 무엇이 문제인가를 단순히 결정하는 것이 아니라 전체 평가과정에서 내담자의 강점을 염두에 두고 문제해결의 구체적인 방안을 제시해 주는 것이 무엇보다도 중요하다.

심리평가 보고서를 작성할 때는 평가결과에 근거하여 객관성과 정확성에 중점을 두고 간결하고 명확하게 기록하며 문장을 진술할 때 누구나 이해하기 쉽게 작성해야 한다. 특히 단정적 동사보다는 추론적 동사를 사용하여 결과를 종합해야 할 것이다. 무엇보다도 심리평가 보고서는 의뢰된 사유의 중재 및 치료를 촉진시키는데 사용되기 때문에 평가자는 문제영역에 대한 전문적 지식을 습득해야 하며 임상적 훈련이 요구된다.

심리평가 보고서 작성에서 유의해야 할 부분을 중심으로 기록방식을 소개하면 다음과 같다.

첫째, 일반적으로 심리평가 보고서에는 평가받는 내담자, 내담아동 및 청소년의 기본 배경정보를 기록한다. 이름, 생년월일(나이), 유치원/학교 또는 직장, 가족관계, 평가자 및 평가일시, 평가기관 등을 기록해야 한다.

둘째, 평가받는 의뢰사유를 자세히 기록한다. 의뢰된 초점 증상이나 특별한 행동 및 문제 등을 요약하고 누가 의뢰하였는지도 기록한다.

셋째, 초기면담 시 수집한 정보에서 내담자의 가족관계 및 환경적 요소, 아동 및 청소년의 경우는 발달사 및 교육사를 기록한다.

넷째, 심리평가 실시과정 전반의 행동관찰 내용을 기록한다. 평가하는 동안의 전반적 행동 및 반복적이거나 특이한 행동과 언어적 혹은 비언어적 의사소통 등 관찰내용을 구체적으로 기록한다.

다섯째, 심리평가 결과를 기록할 시 구조에 대한 분석과 선택한 이유에 대한 분석방식을 통해 자기와 타인의 인식차원에 대한 결과와 가족관계 및 대인/또래관계에서의 관계차원에 대한 결과를 분석하여 기록한다.

여섯째, 자기인식, 타인인식, 가족관계 그리고 대인/또래관계의 4가지 주제영역과 2가지 차원영역인 인식차원과 관계차원 간의 상호 관련성, 현상학적 시사점, 심리적 특성, 강점과 약점의 기술, 추론 등을 포함하여 종합적으로 평가자의 소견과 치료 및 교육 등의 중재방안을 요약하여 결과해석을 기록한다.

위의 내용을 포함하여 기록해야할 인형진단평가 보고서 양식은 다음과 같다.

<표 2> 심리학적 평가 보고서

성명(　　　)	성별(　)	생년월일(　　년　월　일 /만　세　개월)
소속(　　　어린이집/유치원/학교, 학년/직장)		의뢰인(　　　)
평가자(　　　)	평가일(　　　)	평가기관(　　　)

1. 의뢰사유:
2. 가족관계 및 발달사:
3. 행동관찰:
4. 인형심리평가 결과요약:
   4.1 영역별 요약
   - 자기인식 및 타인인식에 대한 인식차원 결과:
   - 가족관계 및 대인/또래관계에 대한 관계차원 결과:
5. 종합적 요약:

년　　월　　일

평가자:　　　　　(서명)

3. 인형심리평가의 해석

1) 인형심리평가의 상징해석

우리가 상징을 해석한다고 한다면 상징이 가진 성격을 하나하나 짚어가는 작업일 것이다. 각각의 상징이 고유의 성격, 고유의 힘, 고유의 방향을 가지고 작용하고 있는 것이라면, 상징 해석이란 상징이 원래 가지고 있는 의미를 풀어가는 작업이 아닌 상징이 만들어지면서 이미 해석되어 있는 무엇을 발견하는 작업이라고 할 수 있다. 즉 상징 해석이란 곧 상징이 해석한 것이 무엇인가를 파고들어가는 작업일 것이다. 인형치료에서 무의식과 관계되는 상징체계는 동물 인형에 나타나는 동물상징체계이다. 동물상징체계를 통해 내담자의 무의식, 특히 가족 트라우마를 분석한다.

인형치료에서 해석해야 하는 상징체계 가운데 동물상징체계를 어떻게 해석할 수 있는가에 대한 의문으로 시작한다. 인형치료의 기본전제가 되는 이론이 말하듯, 내담자의 무의식은 가족이라는 사회의 영향을 받은 무의식이다. 인간이 사회적 동물이라는 것은 곧 언어적이라는 것을 의미한다. 인간의 존재는 이미 존재하고 있는 언어체계 안에서 이루어진다. 또한 트라우마의 성격처럼 내담자가 트라우마를 어떤 시각에서 보는가에 따라 기억이 달라질 수 있는 것이다. 트라우마는 과거의 기억보다 현재의 상황에 영향을 더 받게 된다. 즉 과거의 트라우마에 대한 기억은 고정적으로 존재하는 것이 아닌, 현재에 의해 결정되고 변화될 수 있는 것이다. Milton Erickson은 상담이란 내담자를 성격형성 이론이나 상담이론에 꿰맞추는 정형화된 접근이 아닌 고유한 개인으로서 개별화하는 것이라는 점을 강조했다.

내담자들은 동물인형을 통해 무의식 속에 있던 부모의 Imago와 자신의 Imago를 표현할 수 있다. 동물인형이 갖는 풍부하고 다양한 상징의 의미는 내담자들에게 그만큼 쉽고 안전하게 서로에게 향했던 투사를 객관적으로 인식하는데 도움을 준다. 내담자가 선택한 동물인형의 상징의미, 상징체계, 의미체계, 그리고 수(數)상징체계를 통해 내담자의 자기인식 및 타인인식을 살펴볼 수 있다. 또한 대인관계 및 가족관계 안에서 일정하게 반복적으로 발생하는 상호작용의 패턴을 동물인형을 통해 관계의 틀 속에서 객관적으로 인식하게 하는 기능이 있다.

이에 인형심리평가는 인식차원, 관계차원 그리고 두 차원 간의 상호연관성을 토대로 해석이 이루어진다. 해석과정을 구체적으로 설명하면 다음과 같다.

첫째, 내담자 개개인의 경험 속에서 만들어진 내담자의 자기이해 및 타인이해를 인식차원을 통해 분석하고, 동물상징의 의미, 동물인형의 상징체계, 동물인형의 의미체계 그리고 수(數)상징체계를 토대로 해석한다.

둘째, 동물인형의 세우기 작업을 통한 관계구조를 토대로 내담자의 가족 간 그리고 대인 및 또래 간의 상호작용을 평가한다. 가족관계와 대인 및 또래 관계를 파악하고 평가할 수 있게 된다.

셋째, 내담자의 인식차원과 관계차원 간의 상호관련성, 현상학적 시사점, 심리적 특성, 내담자의 강점과 약점 그리고 추론을 포함한 종합적 요약을 통해 인형심리평가의 결과를 해석한다.

2) 인형심리평가의 인식차원 해석

(1) 동물인형의 상징의미

무수한 그물망 같은 상징들을 경험하며 살아가는 오늘날의 우리들에게 있어서 상징을 해석한 것이 무엇인가라는 상징 해석의 작업은 매우 중요하다. 인형심리평가에서는 가족 트라우마의 상징인 동물상징체계를 해석하는 방법론으로서 라캉의 상징체계 이해를 통한 상징체계 해석방법론을 제시해 보고자 한다. 라캉의 상징체계 이해는 언어적 무의식, 즉 무의식의 사회적 측면을 내포하고 있으며 동시에 의미의 고정점 이론을 통해 상징 의미의 다양성과 변이에 대한 근거가 될 수 있다. 이는 기존의 프로이트나 융의 상징해석에 더해져서 좀 더 다양하고 폭넓은 상징체계 해석을 통해 인형치료의 동물상징체계의 활용에 도움을 줄 수 있다.

인형심리평가에 사용되는 동물인형 53개와 자연물 1개로 총 54개로 구성되었다. 동물인형은 각각 고유의 상징적 의미를 갖고 있는데 총 54개의 동물인형의 상징적 의미는 제 4장에서 구체적으로 제시하였다.

(2) 동물인형의 상징체계

동물상징은 모든 사회의 신화, 민담, 미술, 종교에서 풍부하게 나타나는데, 이것은 본능적이고 정서적인 강력한 표현과 연결된다. Jaffe(1996)는 동물상징은 인간의 원시적이고 본능적인 성질을 상징한다고 하였다. 심층 심리학적 관점에서 동물상징은 인간 무의식의 내용을 표현해주는 도구가 된다. 동물상징은 자아로 스며들면서 자아가 상징을 동일시하게 하고 무의식으로 표출하게 한다. 동물상징은 투사를 통해 외부환경으로 흘러들면서 개인에게 외부 대상과 활동에 관여하게 만든다. 또한 동물상징은 그 성질이나 기원이 개인적이기 보다 집단적인 것에 속한다고 볼 수 있다. 이러한 집단적인 것에 속하는 동물상징체계는 자의와 무관하게 무의식을 통해 자연히 생겨난 것이지 결코 의도적으로 만들어진 것이 아니다. 이러한 맥락에서 우리 개개인이 가진 동물상징의 의미는 개인적 경험의 영역에 속한 것이 아닌 '집단 표상(collective representation)'으로 볼 수 있다. 따라서 동물상징은 개개인의 경험에 의해 만들어지고 또는 개인적 의미로 규정되는 것이 아닌 선천적이고, 집단적으로 공유되는 상징체계를 갖는다.

인형심리평가에서 각각의 동물인형이 가지고 있는 특징과 상징의 의미를 분석한 결과, 해석과정에서는 8가지의 상징체계로 분류하여 설명된다. 4가지 차원의 대립구도 속에서 8가지의 상징체계의 해석이 가능하다. 8가지의 동물 상징체계는 강함 대 약함, 독립 대 의존, 방어 대 공격, 긍정적 소망 대 부정적 소망으로 나뉜다. 동물인형은 한 가지의 상징체계를 갖고 있는 것이 아니라 다차원적인 상징체계를 갖는다. 구체적인 8가지 동물인형의 상징체계와 8가지의 상징체계에 속한 동물은 다음과 같다.

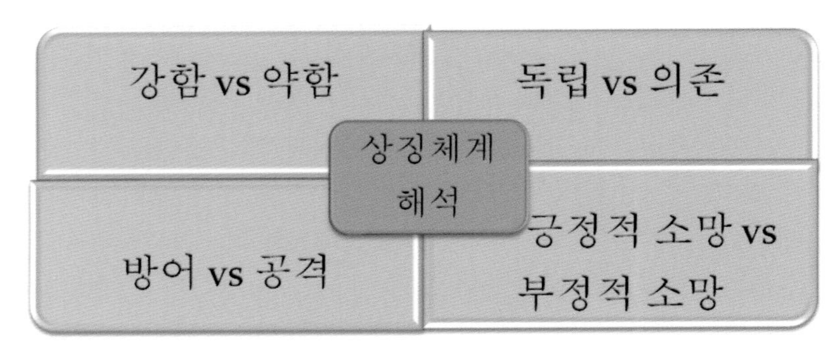

<그림 1> 동물인형의 8가지 상징체계

① 강함의 상징체계에 속한 동물 (22개)

코끼리, 불곰, 북극곰, 흑표범, 수사자, 호랑이, 돼지, 멧돼지, 상어, 고릴라, 수탉, 코뿔소, 버팔로, 여우, 공룡, 독수리, 악어, 뱀, 독사. 늑대, 암사자, 부엉이

② 약함의 상징체계에 속한 동물 (12개)

병아리, 조개, 개구리, 강아지, 고슴도치, 양, 토끼, 다람쥐, 미어캣, 알에서 나오는 병아리, 달팽이, 어린양

③ 독립의 상징체계에 속한 동물 (12개)

돌고래, 학, 거북이, 독수리, 고양이, 말, 북극곰, 수사슴, 고래, 나비, 부엉이, 물개

④ 의존의 상징체계에 속한 동물 (9개)

알에서 나오는 병아리, 다람쥐, 개구리, 어린양, 토끼, 강아지, 병아리, 팬더곰, 코알라

⑤ 방어/생존의 상징체계에 속한 동물 (19개)

고슴도치, 거북이, 기린, 낙타, 미어캣, 북극곰, 여우, 뱀, 개, 조개, 달팽이, 버팔로, 코끼리, 나무, 코뿔소, 수탉, 늑대, 암사자, 부엉이

⑥ 공격의 상징체계에 속한 동물 (15개)

상어, 독사, 뱀, 독수리, 멧돼지, 불곰, 악어, 공룡, 수사자, 흑표범, 코끼리, 호랑이, 코뿔소. 늑대, 암사자

⑦ 긍정적 소망의 상징체계에 속한 동물 (19개)

학, 돌고래, 나비, 팬더곰, 말, 강아지, 거북이, 물개, 캥거루, 수사슴, 젖소, 개, 백조, 부엉이, 고래, 코알라, 앵무새, 원숭이, 암사자

⑧ 부정적 소망의 상징체계에 속한 동물 (20개)

악어, 불곰, 흑표범, 수사자, 호랑이, 돼지, 상어, 뱀, 독사, 독수리, 공룡, 여우, 버팔로, 코끼리, 코뿔소, 고릴라, 고슴도치, 멧돼지, 늑대, 암사자

(3) 동물인형의 의미체계

인형심리평가 과정에서 나타난 내담자의 경험의 틀 속에서 동물인형을 3가지의 의미체계 속에서도 해석이 가능하다. 내담자들은 동물인형을 통해 무의식 속에 있던 자신과 자신을 둘러싼 환경에서 만들어지는 이미지를 표현할 수 있다. 따라서 내담자가 표현하는 동물인형은 그들의 경험을 의미체계 안에서 다음과 같은 3가지 차원에서 6가지 의미체계로 해석할 수 있다.

가축동물은 사회화를 의미하며 순응과 복종, 원시적 본능의 통제를 의미할 수 있다. 반면에 야생동물은 통제할 수 없는 힘, 비사회화, 원시적 자연의 본능을 나타낸다. 초식동물은 순응적이고 온순하며 수동적이며 약한 특성을 가지고 있다. 반면에 육식동물은 힘과 공격성을 가지고 능동적이고 지배적인 원시적 본능의 생존 기제를 가지고 있다. 무리생활을 하는 동물들은 기본적으로 질서 속에서 집단성을 지니고 있으며 집단의 소속된 안정감을 추구하는 특성을 의미한다. 반면에 단독생활을 하는 동물은 주체적으로 스스로 책임지는 삶의 방식과 생존을 위한 경계를 생존 기제를 의미한다. 동물인형의 3가지 차원에서 분석한 6가지 의미체계와 6가지의 의미체계에 속한 동물을 구체적으로 설명하면 다음과 같다.

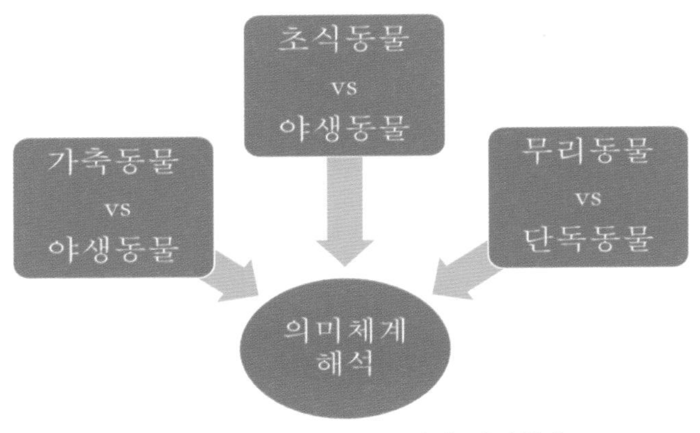

<그림 2> 동물인형의 6가지 의미체계

① 가축동물

양, 말, 강아지, 병아리, 어린양, 젖소, 토끼, 개, 고양이, 돼지, 낙타, 닭, 알에서 나오는 병아리

② 야생동물

코끼리, 수사자, 흑표범, 호랑이, 멧돼지, 상어, 독사, 악어, 뱀, 공룡, 캥거루, 팬더곰, 북극곰, 버팔로, 독수리, 호랑이, 암사자, 늑대, 부엉이, 코뿔소, 고래, 코알라, 달팽이, 고릴라, 앵무새, 원숭이, 멧돼지, 기린, 수사슴, 다람쥐, 물개, 돌고래, 학, 백조

③ 초식동물

코끼리, 캥거루, 팬더곰, 말, 양, 젖소, 토끼, 버팔로, 낙타, 코뿔소, 고릴라, 원숭이

④ 육식동물

불곰, 흑표범, 수사자, 호랑이, 상어, 독사, 뱀, 악어, 독수리, 암사자, 늑대, 부엉이

⑤ 무리동물

코끼리, 돼지, 멧돼지, 버팔로, 늑대, 암사자, 병아리, 기린, 어린양, 양, 토끼, 미어캣, 원숭이, 물개, 돌고래, 말, 수사슴, 학, 캥거루, 젖소, 낙타, 닭, 개

⑥ 단독동물

불곰, 북극곰, 흑표범, 수사자, 호랑이, 상어, 코뿔소, 여우, 공룡, 독수리, 악어, 뱀, 독사, 고슴도치, 달팽이, 팬더곰, 거북이, 고양이, 고래, 부엉이

(4) 수(數) 상징체계

영어나 독일어의 수라는 단어는 라틴어 numerus에서 유래되었으며, 그리스어에서 수는 arithmos 라고 한다. arithmos는 '크기' '리듬' '양'을 의미하는 말로 사용되었다(Ouaknin, 2006). 그리스의 수학자 피타고라스는 "모든 것은 수이다"라고 말하였다. 인간이 세상 밖을 내다보던 시기 그는 물질세계의 실재를 수 (數)로 본 것이다. 그는 수를 세상을, 즉 우주를 이해라는 원리의 핵심으로 보았다. 그는 수의 내적인 질서와 그 상징성이 인간 정신에 대해 깊은 영향을 미칠 수 있다고 믿었다. 자연의 수가 인간의 정신과 세계와 상호관계를 갖고 있다고 인식하였다(von Franz, 1992). 피타고라스학파는 수에 일정한 상징체계가 있음을 알고 있었다. 짝수는 여성을, 홀수는 남성을 의미한다고 생각하였다. 이러한 생각을 2와 3이 더해지면 이 5는 결혼을 의미하는 수로 인식했다(Ouaknin, 2006).

Von Franz(1990)는 이러한 피타고라스의 수 이해에 대해 말하길, 수의 상징체계가 인간 개인의 심리적 상태를 이해라는데 중요한 도구임을 의미한다고 설명한다. Jung(1996)은 환자들이 꾼 수에 대한 꿈을 분석하면서 꿈에서 등장하는 인물과 사건이 일정한 인격화된 특성 및 행동화된 상황의 상징체계인 것처럼 자연수도 하나의 상징체계이라는 사실을 발견하였다. Jung(2002)은 수는 인류 자체를 앞서는 오래된 고대의 원형으로 인식하였다. Jung이 수가 단일 세계 자체가 가지는 질서의 원형이라고 인식하였다면, Von Franz는 수는 정신 또는 물질의 가장 기본적인 건축자재라고 말하였다. Jung과 Von Franz에 의해 발전된 분석심리학은 무의식을 탐구하기 위해 꿈, 신화, 민담을 연구하였고 이 과정 속에서 인간의 무의식이 표현되는 상징체계를 발견하게 됨으로써 인간의 내면세계의 신비를 경험하게 된다.

Jung은 오래된 고대의 상징체계들 속에서 일정한 구조와 질서를 발견하게 된다. 발견된 무의식의 구조와 질서에는 거의 또는 전혀 인간적인 성질을 가지고 있지 않은 구조와 질서가 존재함을 알게 되었다. 그것은 원형으로서의 수의 층이었다(Robertson, 2012). 심층심리학은 수는 인간 자신의 내면과 자신과 다른 사람의 삶에 질서를 부여하고 이해할 수 있는 도구라고 전제한다. 동물인형사파리에서 내담자들이 표현한 마음의 상태에는 다양한 수가 나타나고 이를 통해 내면의 질서체계를 나타내준다. 동물인형사파리의 해석을 위해 수의 의미를 이해하고 수의 진단적 의미체계를 객관적으로 탐색하기 위해 수의 상징체계에 대한 설명이 필요하다.

① 수 1

수 1은 그리스어로 monad이다. 이 말은 세상의 근원이 되는 중심을 의미한다. 수 1은 자연수 중 첫 번째 수로서 모든 질서의 시작 전에 있거나 또는 창조과정이 발생하기 전에 있는 수이다(Abt, 2005). 수 2는 첫 번째 숫자 1에서 분화된 것으로 그 자체로 유일한 것이다. 수 1이 수학적으로 1 × 2= 2에서처럼 그것이 결합하는 어떤 수든 그 정체성을 유지시켜주는 특성을 갖는다. 왜냐하면 그것은 다른 모든 숫자의 약수이기 때문이다(von Franz, 1990). 수 1은 세상의 공통분모와 같은 의미를 가지며 통일성과 신성을 의미하게 된다. 따라서 Haarmann(2013)은 수 1이 신성한 수라고 말한다. 많은 지역에서 1은 신과 관련된 수였다고 말한다. 이집트나 메소포타미아에서 1은 절대적인 힘을 가진 신과 연결되었다. 분할 할 수 없는 전체성과 유일성을 가진 절대적 존재를 상징하였다.

따라서 Abt(2005)는 수 1은 개인의 개성화(Individuation)의 상징이 되는데, 그것은 수 1은 내적 통일이자 유일한 존재로 점차 '그 사람 자신' 즉, '그 사람의 전체'가 되는 창조적 과정을 의미한다고 말한다. 심층심리학적 의미 속에서 수 1이 가진 긍정적인 의미체계는 통일성, 전체성, 안전과 안전감, 창조성, 새로운 시작이다. 반면에 부정적인 의미체계는 단일성(oneness)이 갖는 의미의 한계로 가로막히고, 고착되고, 좌절된 느낌, 무기력하고, 불안정하고, 우울하고, 혼란스러운 느낌을 포함하고 있다(von Franz, 1990).

② 수 2

숫자 2는 그리스어에는 dyad로, 이원성을 의미한다. 수 2는 '하나'이던 것이 이제 '하나'와 '둘'로 나누어지게 된 것이다. 수 2는 수 1의 한 점으로부터 나와서 양쪽 방향으로 갈라진 두 개의 선이다. 선은 긴장, 힘, 행동, 충동, 압박, 방향을 보여준다. 수 1이 두 개의 선으로 나누어질 때 양극 사이에는 긴장과 갈등이 존재한다. 선이 뻗어나감으로 여기에서 두 개로 기존의 세상이 나누어진다. 이러한 긴장과 갈등은 슬픔, 고뇌, 절망을 발생시킨다(Eastwood, 2002). 수 2의 이원성은 이분법적 원칙, 양극성, 긍정과 부정을 만들게 한다. 이분법은 선과 악의 싸움으로, 이승과 저승의 단절로, 보수와 진보의 갈등으로, 감정과 지성의 긴장으로, 평화와 전쟁의 대립으로 존재양식을 분류한다(Haarmann, 2013). 그리고 두 개의 양 극단의 분리가 강하게 이루어지면 질수록 그 극단에 있는 것은 강하게 단일성을 느끼게 된다. 즉, 통일된 것을 나누고, 나뉜 것은 서로 통합되게 된다(Menninger, 2005).

인간의 정체성은 자아와 타자라는 이중원리에서 비롯된다. 나 정체성은 나와 타인의 차이를 인식하게 됨으로써 발전하게 된다. Menninger(2005)는 본래 수 2는 다른 인간을 의미했다고 말한다. 상호작용이 가능한 '나와 너(Ich und Du)'로의 인식의 시작이 바로 수 2에서 시작되었다는 것이다. 심층 심리학적으로 수 2는 자아의 탄생을 의미한다고 여겨져 왔다. Von Franz(1990)는 수 2의 원형적 의미는 자아의 탄생과 연결되며 이것은 고통의 탄생을 나타낸다고 말한다. 영아는 어머니의 뱃속에서 나오면서 한 몸에서 둘로 분리되어진다. 이제 하나의 인격체로 태어나게 되었지만 고통, 갈등, 불확실성의 세계에 던져지게 된다. 자아는 분리되고 분화하면서 그리고 출현하는 자아와 휩쓸어 버리는 무의식 사이에 발생하는 긴장과 갈등을 통해서 발달하게 된다.

심층심리학적 의미 속에서 수 1이 가진 긍정적인 의미체계는 균형, 즉 음과 양의 에너지의 균형, 반영, 긍정과 부정의 조화이다. 반면에 부정적인 의미체계는 대극, 분리, 혼란, 갈등, 전쟁의 발생, 분열, 압도당한 느낌, 저항과 반응이다(von Franz, 1990).

③ 수 3

수 3은 그리스어로 triad이며, 모든 수를 뛰어넘는 특별한 힘을 갖는 수이다. Menninger(2005)는 수 3의 출현으로 '나'와 '너'만이 존재하던 양립의 세계에서, 이제 '그것'이라는 다수의 개념이 만들어지게 되었다고 말한다. 수 3의 탄생으로 무한히 진행할 수 있는 수열이 가능하게 되었다. Jung(1963)에 의하면 수 3은 수 2가 나뉘면서 생기는 손상을 회복시킬 수 있다고 말한다. 수 3은 이원성의 긴장과 갈등을 새로운 통합으로 이끌지만 그 과정 속에서 이중성을 부정하지 않으면서 그것을 극복한다는 것이다.

따라서 Kalff(2012)는 수 3은 인간을 초월하는 힘과 연결된다고 설명한다. 동서양의 종교는 수 3과 깊은 관련을 갖는다. 기독교에서는 삼위일체의 도그마와 연결이 되며 중국의 도교에 의하면 도는 1을 낳고, 1은 2를 낳고, 2는 3을 낳았고 그리고 3은 무수히 많은 것을 낳았다고 한다(Eastwood, 2002). 고대 동양에서 황제를 가리키는 상징은 세발을 가진 까마귀(소위, 삼족오)이다. 종교적 의미에서 수 3은 창조성, 성장, 초월을 의미한다. Haarmann(2013)는 고대에서 현재에 이르기까지 수 3은 '마법의 힘'을 상징한다고 말한다. 중요한 희망과 열망에 힘을 불어주는 특정행동에는 세 번 반복하는 풍습이 존재한다고 하였다. 수많은 민담과 신화 속에 세 번의 모티브는 가령, 산신령의 세 가지 소원, 수수께끼를 맞혀야 하는 세 번의 기회 등 반복되었다.

수 3은 삼각형의 상징체계를 통해 보충 설명될 수 있다. 수 2의 이원성이 만들어내는 이분법적 대립은 수 3을 통해 완전한 균형을 이루는 완전체로 존재할 수 있다(Eastwood, 2002). 삼각형은 안정적이나 역동적인 과정과 지속적인 체계를 갖춘 구조를 통해 분열로부터 통합으로 움직이는 것을 처음으로 보게 된다. Von Franz (1990)는 수3은 의식을 관찰하고 진보적으로 움직이는 것과 관련이 있다고 말한다. 그녀에 의하면 3은 물질과 우리의 의식에서 바꿀 수 없는 자기 확장의 과정을 역동적으로 일으키는 단일체를 의미한다. 즉, 심층심리학에서 수 3은 의식의 탄생과 관련을 갖는다.

Jung(1963)에 의하면 수 3은 아주 완전하지는 않으나 거의 완전에 가까운 것을 상징한다. 자신에게 결핍된 것을 무의식적인 자기의 어떤 부분이 보완될 수 있다는 것을 나타낸다. 심층심리학적 의미 속에서 수 3이 가진 긍정적인 의미체계는 강한 희망의 표현과 창의성, 목표지향성, 집중, 활동적인, 혁신적인 측면이다. 반면에 부정적인 의미체계는 실패의 감정, 충분히 만족스럽지 않은 자기의심 혹은 교만으로 가득 찬 팽창된 자아, 참을성이 없는, 자기중심적인, 너무 많거나 혹은 너무 적은 내면의 힘, 야망이다.

④ 수 4

수 4는 그리스어 tetrad로, 둘로 나누어지거나 2를 두 번 곱하거나 더하면 만들어진다. 수 4는 두 개의 차원으로 나누어지고 동시에 네 개의 차원으로 분리되는 특성을 갖는다. 이러한 특성 때문에 고대사회에서 수 4는 세계의 질서를 상징하였다(Haarmann, 2013). 달의 주기는 네 단계로 분류되었는데, 즉 초승달, 상현달, 보름달, 하현달로 불려졌다. 연금술의 기본원소도 흙, 불, 물, 공기로 4가지 원리로 보았으며, 세계는 해, 달, 땅, 하늘로 구성되어있다고 보았다. 오랜 동안 인간을 세계를 수 4의 구조를 가진 것으로 인식하였다.

이러한 이유를 Von Franz(1990)는 우리가 가진 시각의 기본적인 지각의 특성에 있다고 보았다. 인간의 눈은 둘이고, 눈은 수평선 방향으로 놓여있다. 두 개의 눈이 삼차원적으로 보기 때문에 수직의 중앙선이 두 눈 사이에 놓여있다. 이 수직과 수평의 두 선에 의해 우리의 시각의 시공간적 교차가 무의식적으로 항상 존재하게 된다고 한다. Jung(2016)은 인간 의식의 기본적 기능을 4가지, 즉, 지각, 사고, 느낌, 직관으로 나누어 이것들에 의해 무의식의 내용이 의식이 된다고 보았다.

Jung은 연금술의 기본요소인 4원소인 불은 생각, 공기는 직관, 물은 느낌, 흙은 감각에 비유될 수 있다고 하였다. 융은 수 4가 자아의식의 구성에 있어서 원형적 배경을 이룬다고 보았고 이러한 맥락에서 수 4는 의식화되는 행동을 통해 서로 다른 대립물을 통합해야 하는 필요성이나, 대립물의 통합의 실현을 의미할 수 있다. 우리의 몸은 머리, 팔, 다리의 네 부분으로 이루어지며, 우리가 거주하는 집은 언제나 네 개의 벽으로 만든다. 4개의 기둥과 4개의 벽은 인간 건축물의 기본요소이며 이를 통해 안정과 질서를 상징한다. 또한 수 4는 견고함, 포괄성, 조직성, 힘, 지성, 전능, 지성을 나타내는 상징적 의미를 갖는다(Tresidder, 2007). 그리고 수 4는 대자연의 혼돈적인 무질서에 질서를 부여해주는 상징체계가 된다.

심층심리학적 의미 속에서 수 4가 가진 긍정적인 의미체계는 질서의 분화, 수용되는 느낌, 논리와 감정의 균형, 차별화를 나타낸다. 반면에 부정적인 의미체계는 안전감의 부족, 경직성, 지나친 규범과 구조에 대한 강조 등을 나타낸다.

동물왕국에서 표현된 동물의 세계에는 원시적인 질서의 원형인 수가 존재한다. 내담자는 자신의 마음 상태를 수를 통해서 질서를 표현하며 또한 새로운 마음의 질서를 창조해내기도 한다. 동물의 세계를 객관적으로 해석하기 위해서는 수의 상징에 대한 기본적 이해가 요구된다. 동물에 대한 신비주의적 믿음이 사라진 현대사회에서도 동물상징체계는 여전히 활용되고 있다. 그것은 인간이 동물에 갖는 인식은 개별적인 경험만이 아닌 원형(Archetype)에 속한 것이기 때문이다(Jung, 1996).

동물세계에서 대표적으로 나타나는 수 1. 2. 3, 4의 인형심리평가의 상징체계는 내담자의 타인인식과 더불어 세상을 바라보는 내담자의 주관적 시각을 현상학적 관점에서 살펴볼 수 있게 된다.

<표 3> 수의 상징체계

수	상징체계
1	수 1이 가진 긍정적인 의미체계는 통일성, 전체성, 안전과 안전감, 창조성, 새로운 시작이다. 반면에 부정적인 의미체계는 단일성(oneness)이 갖는 의미의 한계로 가로막히고, 고착되고, 좌절된 느낌, 무기력하고, 불안정하고, 우울하고, 혼란스러운 느낌을 포함하고 있다.
2	수 2가 가진 긍정적인 의미체계는 균형, 즉 음과 양의 에너지의 균형, 반영, 긍정과 부정의 조화이다. 반면에 부정적인 의미체계는 대극, 분리, 혼란, 갈등, 전쟁의 발생, 분열, 압도당한 느낌, 저항과 반응이다.
3	수 3이 가진 긍정적인 의미체계는 강한 희망의 표현과 창의성, 목표지향적, 집중, 활동적인, 혁신적인 측면이다. 반면에 부정적인 의미체계는 실패의 감정, 충분히 만족스럽지 않은 자기의심 혹은 교만으로 가득 찬 팽창된 자아, 참을성이 없는, 자기중심적인, 너무 많거나 혹은 너무 적은 내면의 힘, 야망이다.
4	수 4가 가진 긍정적인 의미체계는 질서의 분화, 수용되는 느낌, 논리와 감정의 균형, 차별화를 나타낸다. 반면에 부정적인 의미체계는 안전감의 부족, 경직성, 지나친 규범과 구조에 대한 강조 등을 나타낸다.

3) 인형심리평가의 관계차원 해석

(1) 동물인형의 관계구조

동물인형이 세워진 공간적 위치, 배치된 형태(일렬배치, 원형배치, 분산배치, 대립배치, 쌓기배치 등), 동물인형들 간의 거리, 방향 등을 통해 대인 및 또래 간, 그리고 가족 간의 상호작용 패턴 및 역기능적 관계구조를 파악하게 된다. 대인관계 및 가족관계 안에서 일정하게 반복적으로 발생하는 상호작용의 패턴을 동물인형을 통해 객관적으로 인식하게 하는 기능이 있다.

개인은 타인들과 관계 안에서 상호작용을 한다. 즉, 개인은 관계를 맺는 타인이나 가족 속에서 각기 하나의 요소를 이루는 대상이 되며 상호작용을 통하여 관계를 형성한다. 이러한 상호작용 속에서 개인은 일정한 역할과 규칙을 만들어내어 서로에게 영향을 주고받는 관계방식을 갖게 되는 것이다. 관계방식은 일정한 패턴을 갖고 있으며 이것은 수 세대를 통해 진행되어 온 수많은 관계의 틀 속에서 이루어지기 때문에 이러한 패턴을 찾는 것은 매우 중요하다(Minuchin, 1979).

특히 가족의 구성원들은 그 가족이 가진 체계 속에서 각기 하나의 요소를 이루는 대상이 되며 상호작용을 통하여 가족이라는 전체체계를 형성한다. 가족구성원들은 일정한 역할과 규칙을 만들어내어 서로에게 영향을 주고받는 관계방식을 갖게 되는데, 이것은 가족체계가 끊임없이 상호작용하는 순환적 패턴을 갖고 있기 때문이다. 가족치료의 이론과 실천의 발달 속에서 가족관계의 패턴을 탐색하기 위해 체계적 가족치료에서는 '8가지 가족체계유형'을 체계화하였는데(우재현 외, 2000), 가족인형치료에서는 9가지 가족체계 유형인 균형형, 부친고립형, 우회공격형, 우회보호형, 분열형, 세대단절형, 이산형, 밀착형, 목적지향형 체계에 따라 가족관계의 일정한 패턴을 설명하고 있다.

인형심리평가에 나타난 동물인형의 관계구조 해석에서도 동물인형이 세워진 공간적 위치, 배치된 형태, 동물인형들 간의 거리, 방향 등을 통해 내담자의 대인 및 또래관계, 그리고 가족관계 구조와 관계를 맺는 구성원들의 역할을 비롯한 체계의 일정한 패턴을 살펴볼 수 있다. 인형심리평가에서 관계차원을 해석할 때 동물인형 세우기 작업을 통해 내담자가 세운 구체적인 동물인형의 7가지 배치형태인 일렬배치, 고립배치, 대립배치, 원형배치, 분산배치, 밀착배치 그리고 쌓기배치에 따라 9가지의 일정한 패턴의 체계유형에 따른 관계구조의 해석을 갖는다.

가족관계의 동물인형 세우기에 나타난 9가지의 가족관계 구조는 다음과 같다.

① 한 줄로 전체 동물인형을 세워 놓는 일렬배치 형태에서는 목적 지향형의 관계구조로서 생존과 안전의 욕구 해소만이 목적으로 이 가족구성원은 애착을 토대로 생존과 안전을 위해 가족관계를 유지한다. 목적 지향형 가족관계는 소통이 부족하고 가족구성원 간 정서적 관계를 맺지 못하고 있는 것을 의미한다.

② 가족구성원 중 누군가 고립되어 있는 고립배치 형태는 가족 구성원 중 누군가 심리적 그리고 정서적으로 고립되어 있으며 나머지 구성원들이 상대적으로 밀착정도가

높은 것을 의미한다. 부친 고립형이나 모친 고립형 가족체계에서는 부부체계 사이에 긴장과 갈등이 생길 때 한쪽 배우자가 자녀들을 자기편으로 끌어들이는 것을 말한다.

③ 구성원 간에 서로 등을 돌리거나 서로를 보면서 나란히 대립해 있는 대립배치 형태에서는 관계를 맺는 구성원들 간의 대립과 분열이 있는 경우로 부모가 자녀들에게 충분히 기능적인 애착관계를 형성하지 못하고, 부모와 자녀 세대 사이에 긴장과 갈등이 발생하는 세대단절형 관계체계가 있다.

④ 대립배치에 속하는 가족관계 구조에는 분열형 가족체계가 있다. 부부갈등이 고조되게 되면 두 부부는 자녀들을 서로 자기에게 끌어들여 삼각관계를 형성하려고 한다.

⑤ 대립배치에 속하는 가족관계 구조에는 희생양의 역할을 하는 동물인형을 향해 구성원 전체가 대립되어 있거나, 혼자 떨어져 있는 우회공격형 체계가 있다. 부부체계 사이에 긴장과 갈등이 생길 때 서로 직면을 통해 해결하지 못하고 가족구성원들 중 한 명에게 투사를 하고 이를 통해 발생한 부정적인 감정을 해소하는 것을 말한다.

⑥ 동물인형들이 적절한 경계선을 유지하면서 만다라의 형식으로 세워져 있는 원형배치가 있다. 가족 구성원들이 서로를 바라보고 있으며 경계선은 적절하게 유지한다. 심리적 거리가 적당한 정도로 기능하는 체계로서 문제가 있어도 잘 기능하며, 특히 가족 안의 규칙이 개방적이고 타협 가능하며 개별성과 독립성이 존중되어 가족 내에서 갈등 상황 시 건강하게 감정을 표현하는 것이 가능한 가족을 의미한다. 구성원 사이에 적절한 관계와 소통이 발달되어 있으며 적절한 경계선이 발달 되어있어 기능적으로 작동하는 경우를 말한다.

⑦ 동물인형이 모두 뿔뿔이 흩어져서 서로 다른 방향을 보는 분산배치 형태에서는 이산형의 가족체계로서 구성원들에게 외로움과 소속감의 어려움을 야기한다. 관계를 맺은 구성원 간에 정서적으로 소원하거나 단절된 상태로서 심리적 균열이 있는 경우이다. 구성원끼리 심리적 결합이 없는 상태로 가족의 경우 무늬만 가족으로 자녀의 비행이나 문제행동이 생기기 쉬운 형태이다. 이때 자녀는 부모와 친밀한 감정교류나 정서경험을 나눌 수 없게 된다.

⑧ 동물인형들을 서로 밀착하여 붙여놓은 밀착배치 형태로서 심리적으로도 밀착해 있는 것을 의미하며, 개개인의 심리상태가 관계를 맺은 구성원 모두에게 영향을 미치는 우회보호형 가족체계이다. 관계를 맺는 구성원 모두가 한 구성원을 보호하고 돌보게 되고, 보호의 대상이 된 구성원은 항상성을 유지하기 위해 무기력한 무의식적인 요구를 받는다. 병약한 한 구성원을 동물인형 전체가 둘러싸서 보호하는 형태로 드러난다. 융합된 부모자녀 관계로 부모세대와 자녀세대와의 사이에 적절한 세대경계가 존재하지 않으며 적절한 역할분화나 자아분화가 이루어지지 못한다. 따라서 개인의

심리적 성장을 방해하게 된다.

⑨ 동물인형끼리 서로 뭉쳐있거나 차곡차곡 쌓여져 있는 모습으로 배치한 쌓기배치 형태는 구성원들 모두가 지나치게 밀착되어 있으며 구성원 간에 경계가 침해되어 있으며 애증의 관계형태가 나타난다. 밀착형 가족체계로써 친밀감이라는 장점은 존재하지만 독립과 분리가 부족하다. 가족구성원들 사이에는 산만한 경계선이 존재하며 밀착과 동맹 관계들이 뒤엉켜있다.

<표 4> 동물인형의 관계구조

배치형태	관계구조 해석
일렬배치	관계를 맺은 구성원들 사이에 관계와 소통이 제대로 형성되어 있지 않고 서로 간에 정서적 관계를 맺지 못한 경우이다. 생존과 안전의 욕구만 해소하는 **목적지향**의 관계패턴으로써 이러한 가족구성원은 애착을 토대로 생존과 안전을 위해 가족관계를 유지한다. 한 줄로 전체 동물인형을 세워 놓는 배치형태이다.
고립배치	관계를 맺는 구성원 중 누군가 고립되어 있는 배치형태로서 누군가 심리적 그리고 정서적으로 고립되어 있으며 나머지 구성원들이 상대적으로 밀착정도가 높은 것을 의미한다. **부친고립형 체계**에서는 부친 혹은 모친 고립형은 부부체계 사이에 긴장과 갈등이 생길 때 한쪽 배우자가 자녀들을 자기편으로 끌어들이는 것을 말한다.
대립배치	관계를 맺는 구성원들 간의 대립과 분열이 있는 경우로 **세대단절형 체계**에서는 부모가 자녀들에게 충분히 기능적인 애착관계를 형성하지 못하고, 부모와 자녀 세대 사이에 긴장과 갈등이 발생하는 것을 말한다. **분열형 가족체계**에서는 부부갈등이 고조되게 되면 두 부부는 자녀들을 서로 자기에게 끌어들여 삼각관계를 형성하려고 한다. 구성원 간에 서로 등을 돌리거나 서로를 보면서 나란히 대립하는 것으로 나타난다. **우회공격형 체계**에서는 부부체계 사이에 긴장과 갈등이 생길 때 서로 직면을 통해 해결하지 못하고 가족구성원들 중 한 명에게 투사를 하여, 발생한 부정적인 감정을 해소하는 것을 말한다. 가족의 고통을 유발하는 가족 문제가 가족 구성원들에게 부정적 정서와 낮은 자존감을 무의식적으로 세대 전이하고 유지하는 특성을 갖게 한다. 희생양의 역할을 하는 동물인형을 향해 구성원 전체가 대립되어 있거나, 혼자 떨어져 있는 것으로 나타난다.
원형배치	이상형에 가까운 것으로 관계를 맺은 구성원 간 친밀관계를 맺고 있는 경우이다. 심리적 거리가 적당한 정도로 기능하는 체계로서 문제가 있어도 잘 기능하며, 특히 가족 안의 규칙이 개방적이고 타협 가능하며 개별성과 독립성이 존중되어 가족 내에서 갈등 상황 시 건강하게 감정을 표현하는 것이 가능한 가족을 의미한다. 이는 **균형형 체계**로서 구성원 사이에 적절한 관계와 소통이 발달되어 있으며 적절한 경계선이 발달 되어있어 기능적으로 작동하는 경우를 말한다. 동물인형들이 적절한 경계선을 유지하면서 만다라의 형식으로 세워져 있다. 서로를 바라보고 있으며 경계선은 적절하게 유지한다.

<표 4> 동물인형의 가족 관계구조 (계속)

배치형태	관계구조 해석
분산배치	**이산형의 체계**로서 구성원들에게 외로움과 소속감의 어려움을 야기한다. 관계를 맺은 구성원 간에 정서적으로 소원하거나 단절된 상태로서 심리적 균열이 있는 경우이다. 구성원끼리 심리적 결합이 없는 상태로 가족의 경우 무늬만 가족으로 자녀의 비행이나 문제행동이 생기기 쉬운 형태이다. 이때 자녀는 부모와 친밀한 감정교류나 정서경험을 나눌 수 없게 된다. 구성원 모두 뿔뿔이 흩어져서 서로 다른 방향을 보는 것으로 나타난다.
밀착배치	과도하게 민감한 체계로서 심리적으로 밀착해 있기 때문에 개개인의 심리상태가 관계를 맺은 구성원 모두에게 영향을 미치는 경우이다. **우회보호형 체계**로서 관계를 맺는 구성원 모두가 한 구성원을 보호하고 돌보게 되고, 보호의 대상이 된 구성원은 항상성을 유지하기 위해 무기력한 무의식적인 요구를 받는다. 병약한 한 구성원을 동물인형 전체가 둘러싸서 보호하는 형태로 드러난다. **융합된 부모자녀 관계**로 부모세대와 자녀세대와의 사이에 적절한 세대경계가 존재하지 않으며 적절한 역할분화나 자아분화가 이루어지지 못한다. 따라서 개인의 심리적 성장을 방해하게 된다.
쌓기배치	구성원들 모두가 지나치게 밀착되어 있으며 구성원 간에 경계가 침해되어 있으며 애증의 관계형태가 나타난다. **밀착형 가족체계**로써 친밀감이라는 장점은 존재하지만 독립과 분리가 부족하다. 가족구성원들 사이에는 산만한 경계선이 존재하며 밀착과 동맹 관계들이 뒤엉켜있다. 동물인형끼리 서로 뭉쳐있거나 차곡차곡 쌓여져 있는 모습으로 나타난다.

(2) 동물인형의 위계구조

Haley는 관계갈등의 근본적인 원인이 바로 관계내부에 있는 권력다툼이라고 말한다. Adler는 인간이 갖고 있는 권력을 추구하는 모습을 설명한다. 인간 존재의 보편적인 열등감, 그 다음에 무력감이 인간에게 존재하고, 그리고 이런 보편적인 열등감과 무력감을 보상받기 위해서, 또는 극복하기 위해 권력의 의지가 존재한다고 보았다. 권력은 대인관계가 있는 모든 곳에서 작동하며 또래관계를 형성하는 교실 안에서도 강하게 작동한다. 여기서의 권력은 한 인간으로서 존중받고 사랑받을 수 있는 가치를 실현할 수 있는 힘을 의미한다. 니체에게 권력의 의지는 일종의 자기실현의 욕구, 성장의 욕구로 설명하였다. Adler는 권력의 욕구는 단순한 힘의 의지가 아니라 자존감의 주제와 연결된다고 본다. 우리가 살아가는데 있어서 다른 사람의 사랑과 존중이 필요하고, 그 사랑과 존중받기 위해서 또 필요한 것이 나에게 허락받는 나만의 일정한 권력이라고 볼 수가 있다. 그 권력은 자존감으로 표현될 수 있으며, 관계에서 일어나는 갈등의 핵심을 권력으로 보았다(Haley, 1963).

우리사회의 대인관계 속에도 눈에 보이지 않지만 분명한 계급이 존재한다. 우리는 상대가 자기보다 위인지, 아래인지 파악하고자 한다. 서로의 힘을 미리 확인하고 그것을 존중하게 되면 쓸데없는 경쟁과 갈등을 예방 할 수 있기 때문이다. 이것은 우리의 인류가 갈등과 분쟁을 예방하기 위한 대단히 뛰어난 안정장치이기도 하다. 그러나 각자가 가진 계급은 인생을 살아가는 데 있어 늘 타인들의 관심과 존경의 대상이 되는 무한한 행복의 자원이 되기도 하고, 누군가에게는 부당하고, 견디기 힘든 족쇄가 된다.

교실 안에서도 분명히 신분이 존재하며, 위계질서가 있다고 스즈키 쇼의 『교실 카스트』에서는 이야기하고 있다. 교실 안에서 아이들 사이에 상위그룹, 하위그룹은 존재한다고 한다. 학장시절의 행복과 불행을 판가름하는 기준은 교실 안에서 어디에 소속되어 있는가이다. 이러한 신분을 만든 원인은 무엇인가? 스즈키 쇼는 그것이 '인기'라고 말한다. 누가 더 아이들 사이에서 인기가 있고 주목을 받느냐, 혹은 아무에게도 주목을 못 받고 촌스럽냐에 따라 계급이 형성된다. 학교 폭력과 왕따 현상의 뿌리가 교실 신분제에 있다는 것을 설명한다.

교실 안에 공존하는 두 세계인 하위그룹의 아이들과 상위그룹의 아이들은 같은 시간과 공간 속에서 전혀 다른 시간의 법칙을 갖고 있다. 상위그룹아이들은 학교생활이 즐겁다. 이들은 성인이 되어서도 학창시절을 그리워하고 그 때로 돌아가고 싶다고 회고할 것이다. 상위그룹은 축구를 비롯해 운동을 잘하거나 무언가 특기가 있는 아이들이다. "밝은 성격의 아이, 기가 센 아이, 입김이 센 아이, 관심을 불러일으킬 매력"을 지닌 아이 등으로 이루어져 있다. 상위그룹에 속하면 무엇보다 특권은 왕따를 당하지 않을 권리를 갖는다. 이런 아이들은 학교행사에서 언제나 주도적이며 선배나 교사들에게 눈에 띄게 되어 더욱 자신감 있게 생활을 한다. 무언가 제안을 해도 이들이 하는 말이 어디에서나 통한다. 아이들은 반응을 보여주고 관심을 보여준다. 당연히 자신감을 갖고 자기표현을 능숙하게 할 수 있는 아이가 된다. 그러나 하위그룹 아이들에게 이 시절은 지옥이거나 빨리 지나갔으면 하는 시간일 것이다. 하위그룹의 아이들은 교실 안에서 지위에 맞는 행동을 할 것을 암묵적으로 정해져 있다. 무엇보다도 무관심, 무시, 존재감 없음 등에 익숙해져야할 운명이다.

교실 안에서 하위 그룹으로 성장한 많은 사람들이 있다. 우리 모두는 교실을 빠져나와 사회인이 되었다. 그러나 여전히 교실에서의 하위그룹의 생존전략을 유지하는 경우가 있다. 성인이 되어서도 여전히 자기도 모르게 모든 인간관계를 교실로 만들고, 하위그룹의 생존전략으로 살아간다. 아무도 더 이상 과거 교실에서의 신분을 따지지도 않는데도 여전히 이어간다.

대인/또래관계에서의 동물인형 세우기는 7가지의 배치형태인 일렬배치, 분산배치, 고립배치, 대립배치, 원형배치, 밀착배치, 쌓기배치에 따라 위계구조 해석을 갖는다.

구체적인 내용은 다음과 같다.

내담자가 사회생활이나 학교생활에서 관계를 맺는 사람들 혹은 또래를 세울 때 일렬배치로 세우게 되면 대인/또래 사이에서 관계와 소통이 제대로 형성되어 있지 않고 친밀한 관계를 맺지 못한 경우이다. 분산배치는 대인/또래 간에 정서적으로 소원하거나 단절된 상태로서 심리적 균열이 있는 경우이다. 두 관계구조는 모두 생존과 안전의 욕구만 간신히 해소하고 사회/학교생활을 하고 있는 목적지향의 관계패턴으로서 대인/또래들과 친밀한 관계를 형성하지 못한 채 아무에게도 관심 받지 못하며 존재감이 없거나 관계에 무관심하거나 소외되어 있음을 의미한다.

내담자가 대인/또래관계에서 고립배치로 자신의 동물인형을 세웠다면 관계를 맺는 사람들 혹은 또래들 사이에서 고립되어 있는 배치형태를 나타낸 것이다. 내담자는 심리적 그리고 정서적으로 고립되어 있으며, 아무에게도 주목을 받지 못하고 혼자 지내거나 고통을 유발하는 학교폭력이나 왕따 경험 등으로 인해 사회/학교생활에 부적응을 겪고 있음을 의미한다.

밀착배치는 관계를 맺는 사람들 또는 또래들 간에 과도하게 민감한 관계패턴을 갖고 있음을 의미한다. 밀착배치는 심리적으로 밀착해 있는 것을 의미하나 쌓기배치는 심리적 뿐 아니라 물리적으로도 과도하게 역기능적 밀착을 경험하고 있는 것을 의미한다. 이로 인한 경계선 침범은 개개인의 심리상태가 관계를 맺은 또래들 모두에게 영향을 미치기 때문에 학교에서 학교폭력이나 비행, 일탈 등의 문제행동을 일으키는 무리를 형성하고 있음을 의미한다.

대립배치는 대인 및 또래 간의 분열과 갈등을 경험하고 있는 것으로 구성원 간의 삼각관계의 희생양이 될 수 있다.

마지막으로 원형배치는 관계를 맺는 사람들 또는 또래들 간의 친밀관계를 맺으며 상위그룹에 속하고 자신감 있는 사회/학교생활을 하고 있는 경우이다. 심리적 거리가 적당한 정도로 기능하는 관계패턴으로서 문제가 있어도 잘 기능하며, 특히 개방적이고 타협 가능하며 개별성과 독립성이 존중되어 관계를 맺는 사람들 또는 또래 내에서 갈등 상황 시 건강하게 감정을 표현하는 것이 가능하여 또래들 사이에서 긍정적 반응과 관심을 받고 있음을 의미한다. 그러나 종종 원형배치는 현실의 관계를 나타내거나 소망의 관계를 표현하기도 한다. 원형배치를 통해 집단 안의 화합과 화목이 이루어지길 소망으로 표현된다.

<표 5> 동물인형의 위계구조

배치형태	위계구조 해석
일렬배치	대인/또래 사이에서 관계와 소통이 제대로 형성되어 있지 않고 친밀한 관계를 맺지 못한 경우이다. 생존과 안전의 욕구만 간신히 해소하고 사회 및 학교생활을 하고 있는 목적지향의 관계패턴으로서 대인/또래들과 친밀한 관계를 형성하지 못한 채 아무에게도 관심 받지 못하며 존재감이 없거나 관계에 무관심하거나 소외되어 있음을 의미한다.
고립배치	관계를 맺는 사람들 혹은 또래들 사이에서 고립되어 있는 배치형태로 내담자는 심리적 그리고 정서적으로 고립되어 있다. 아무에게도 주목을 받지 못하고 혼자 지내거나 고통을 유발하는 학교폭력이나 왕따 경험 등으로 인해 사회 및 학교생활에 부적응을 겪고 있음을 의미한다.
대립배치	구성원 간에 서로 등을 돌리거나 서로를 보면서 나란히 대립하는 배치형태이며, 대인 및 또래 간의 분열과 갈등을 경험하고 있는 것으로 구성원 간의 삼각관계의 희생양이 될 수 있다.
원형배치	관계를 맺는 사람들 또는 또래들 간의 친밀관계를 맺으며 상위그룹에 속하고 자신감 있는 사회 및 학교생활을 하고 있는 경우이다. 심리적 거리가 적당한 정도로 기능하는 관계패턴으로서 문제가 있어도 잘 기능하며, 특히 개방적이고 타협 가능하며 개별성과 독립성이 존중되어 관계를 맺는 사람들 또는 또래 내에서 갈등 상황 시 건강하게 감정을 표현하는 것이 가능하여 또래들 사이에서 긍정적 반응과 관심을 받고 있음을 의미한다.
분산배치	대인/또래 간에 정서적으로 소원하거나 단절된 상태로서 심리적 균열이 있는 경우이다. 생존과 안전의 욕구만 간신히 해소하고 사회 및 학교생활을 하고 있는 목적지향의 관계패턴으로서 대인/또래들과 친밀한 관계를 형성하지 못한 채 아무에게도 관심 받지 못하며 존재감이 없거나 관계에 무관심하거나 소외되어 있음을 의미한다.
밀착배치	관계를 맺는 사람들 또는 또래들 간에 과도하게 민감한 밀착된 관계패턴을 갖고 있음을 의미한다. 밀착배치는 심리적으로 밀착해 있는 것을 의미한다.
쌓기배치	쌓기배치는 심리적 뿐 아니라 물리적으로도 과도하게 역기능적 밀착을 경험하고 있는 것을 의미한다. 이로 인한 경계선 침범은 개개인의 심리상태가 관계를 맺은 또래들 모두에게 영향을 미치기 때문에 학교에서 학교폭력이나 비행, 일탈 등의 문제행동을 일으키는 무리를 형성하고 있음을 의미한다.

4. 동물인형의 상징의미

1) 강함

종류	사진	상징의미
코끼리		사회성 있는 존재로 거대한 힘과 연대감, 지혜를 상징한다. 부정적으로 다른 존재와 비교가 되었을 때 거대함으로 정서적 거리감을 느낄 수 있는 존재, 몸짓만 거대한, 우둔한, 미련한 이미지로도 표현되어진다. 코끼리로 표현된 아버지는 거대한 몸을 가진 위협적인 인물로 상대를 제압할 수 있는 파워를 가진 존재로 나타난다.
불곰		고대사회에서 불곰은 전쟁의 신으로 여겨졌다. 최고의 싸움꾼으로 거친 공격성과 원시적 힘을 상징한다. 갈등상대와 타협과 화해를 시도하기보다 투쟁과 전쟁으로 문제를 해결하려는 속성을 지닌다.
북극곰		북극에 사는 동물 중에 최고로 강한 육식동물이다. 춥고 거친 자연 환경 속에서 살아가는 북극곰은 강한 힘을 상징한다. 그러나 여기서의 힘은 싸움을 잘하는 단순한 공격력을 의미하지 않고, 자연의 거대한 힘 속에서 뛰어난 인내와 생존력을 지닌 존재를 내포한다. 불곰은 뛰어난 싸움꾼을 의미할 수 있지만 북극곰은 거친 자연의 힘으로부터 자신을 지키는 생존의 능력을 나타낸다.
흑표범		검은 색에서 풍겨나는 원시적이고 야생의 거친 힘을 상징한다. 힘을 가진 다른 포식자에 비해 더 은밀하고, 더 원시적이며, 타협을 모르는 충동적이며 공격적인 성격을 나타낸다.
수사자		사자는 자연에서 그 누구도 근접하지 못하는 가장 큰 파워를 지닌 존재이다. 특히 수사자는 가장, 무리의 우두머리를 상징하며 강력한 아미무스를 지닌 존재로 나타난다. 가족 안에서 사자는 가족 전체를 이끌고 통솔할 수 있는 힘을 지닌 인물로 사용된다. 부정적으로는 가족을 괴롭히고 힘들게 할 수 있는 인물로 표현되며 힘을 사용해 통제하려는 두려운 존재로도 사용된다.

종류	사진	상징의미
호랑이		호랑이는 강력한 아니마를 상징하는 동물로 여성적, 수동적 힘을 상징한다. 호랑이는 민첩성, 생존기술이 매우 높음. 독립생활(혼자) 무리에서 떨어져 혼자 지내고 잘 어울리지 않는, 사회성이 부족한 존재, 사납고 무서운 존재로도 표현한다.
돼지		미련하고 어리석어 보이지만 종종 지혜롭고 대장 노릇을 하는 무리를 이끄는 대장의 위치나 지혜롭고 머리를 사용할 수 있는 사람의 의미를 갖는다. 긍정적으로 가족을 통솔하는 힘이 있는 존재이나 부정적으로는 가족들을 통제하려하고 가족들을 괴롭힐 수 있는 존재이다. 힘을 사랑하고 힘을 갖기 위해서 가족을 통제한다. 내담자 스스로를 돼지로 세운 경우 미련함, 게으름, 지저분함을 의미하며 가족과 형제들 사이에서 힘을 형성하려는 특성을 갖는다.
멧돼지		멧돼지는 광포하고 도저히 제어가 안 되는 거친 힘을 상징한다. 특히 흥분하였을 때는 통제 할 수 없는 두려운 힘을 가진 존재를 상징한다. 멧돼지가 흥분하게 될 때는 언제나 위험에 처했다고 여겨지거나 누군가의 공격으로 상처를 입었을 때이며, 이 순간 무서운 존재로 돌변한다. 상처 입고 두려움 속에서 무섭게 상대방을 공격할 수 있는 존재이기도 하다.
상어		바다의 최고의 포식자로 적수가 없는 동물이다. 거칠고 오직 본능에 따라 움직이며 어떤 양심의 가책과 죄책감이 없다. 상어로 표현되는 부모는 거칠고 무자비하고 공포스러운 존재이다. 자신을 상어로 표현하는 경우는 상어의 힘이 필요한 절박한 상황을 의미한다.
뱀	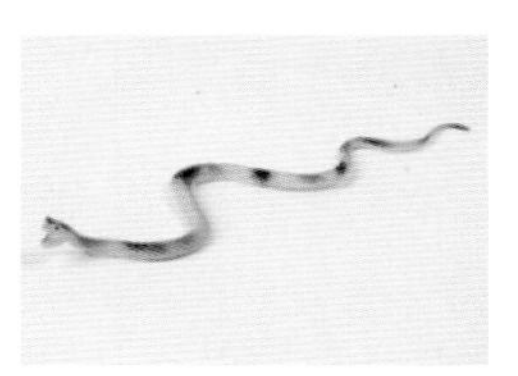	고대로부터 뱀의 상징은 공포와 두려움, 신비로운 힘을 상징하였다. 혐오스럽고 징그러운 이미지를 가졌지만 생명, 지혜, 생존력을 상징한다. 가족 안에서 뱀으로 표현되는 아버지 또는 어머니는 공포감 그 자체를 의미한다. 자신을 뱀으로 표현한 경우는 생존의 위협을 의미한다.
독사		고대로부터 지금까지 독사는 혐오스럽고 징그러운 동시에 매혹적인 존재로 여겨졌다. 상대의 몸을 얼어붙게 만드는 차갑게 상대를 응시하는 눈, 은밀히 숨어 지내는 능력, 먹이를 잡기 위해 며칠이고 꼼짝하지 않고 자리를 지키는 인내심, 손도 발도 없는 구불구불한 몸 안에서 내재

종류	사진	상징의미
		된 신비로운 힘, 속이 빈 날카로운 송곳니에서 뿜어져 나와 살을 파고드는 독에 대한 공포, 치명적인 독을 간직하고 있는 뱀의 날렵한 머리 등은 인간에게 심원의 공포를 갖게 만든다.
악어		고대로부터 악어는 인간의 끝없는 공포감을 불러일으키는 동물로 강한 가죽과 이빨, 끈기, 인내의 힘은 적수가 없는 동물이 되게 하였다. 악어로 표현되는 인물은 공포, 두려움을 일으키는 인물로 원시적 자연의 힘을 가진 사람으로 통제 불가의 존재를 의미한다.
독수리		하늘의 제왕으로 영적인 힘을 의미한다. 강한 부리, 발톱, 커다란 날개는 적수가 없게 만들고 고대부터 지금까지 최강의 군대의 상징물(로마, 독일군, 미군)로 여전히 사용된다. 강한 힘과 접근이 불가한 거리감, 초월적인 위치를 상징한다.
공룡		공룡으로 표현되는 사람은 소위 최강의 존재이다. 도저히 상대할 수 없는 절망감을 느끼게 하는 힘 있는 존재이다. 무엇보다 소통과 관계를 형성할 수 없게 만드는 존재로 나타난다.
버팔로		초식동물이지만 버팔로는 육식동물도 함부로 다룰 수 없는 힘을 가진 존재이다. 강하게 돌진하는 힘, 단단한 뿔, 거대한 몸에서 뿜어져 나오는 에너지는 거친 환경 속에서 살아남게 하는 원동력이었다. 고대사회에서 버팔로와 같은 들소는 인간에게 통제될 수 없는 거친 자연의 힘을 상징하는 상징체계로 여겨졌으며 순응하지 않는 원시적 자연의 힘을 나타낸다.
여우		여우는 늑대와 같은 강한 이빨이 없지만 뛰어난 생존 기제를 갖고 있는 동물이다. 환경에 대한 뛰어난 적응력을 갖고 있으며 잔꾀와 순발력은 오랜 동안 사람들에게 신화적 힘을 상징하는 동물로 여겨지게 만들었다. 여우의 힘은 이빨과 단단한 근육이 아닌 잔꾀와 순발력을 통해 환경에 잘 적응하는 모습에 있다. 여우가 개나 늑대들과는 달리 이기적이고, 믿을 수 없는 존재로 여겨지는 것은 그들이 가진 환경에 대한 적응력과 관련이 된다.

종류	사진	상징의미
수탉		수탉은 닭장이라는 작은 세계의 주인이며 대장이다. 자기의 영역을 지키고 암탉과 병아리들을 지키며 방어, 경계를 상징하는 동물이다.
암사자		수사자와는 달리 암사자는 모계사회를 형성하며 가족에 대한 충성과 깊은 연대감을 형성한다. 단독생활이 아닌 집단을 중시하는 암사자는 가족에 대한 충성과 책임감을 상징한다.
늑대		교활하고 포악한 짐승을 상징하기도 하지만, 무리를 형성하고 무리의 결속과 충성, 연대감을 중시하는 동물이다. 배우자에 대한 충성과 협력, 자식들에 대한 책임과 희생은 자연계에서 유례를 찾아보기 어려울 정도이다. 늑대는 무리에 대한 소속감, 충성, 연대감을 상징하는 의미를 갖는다. 무리를 잃어버린 늑대는 외로운 늑대로 생존과 안전이 위협받는 존재가 된다.
부엉이		그리스에서는 미네르바 지혜의 신, 아테나 여신을 상징하며 동양에서는 학문하는 선비를 상징하였다. 부엉이는 전통적으로 관찰자, '다 보고 있는 사람' 등의 이미지를 가졌으며 그러한 특성 덕분에 지혜로운 사람의 이미지를 갖는다.
코뿔소		코뿔소는 자연계의 탱크라는 별명을 갖는 동물이다. 초식이지만 강한 추진력과 저돌적 자세로 강력한 힘을 상징한다. 코뿔소는 자기의 영역을 지키고 방어하는 동물이다. 코에 난 뿔은 정신분석적으로 남근을 상징하며 리비도적 힘을 나타낸다.
고릴라		고릴라는 강력한 아니무스적인 동물로 대장 또는 족장과 같은 존재이다. 강력한 힘을 가지고 무리를 다스리는 가부장적, 또는 카리스마적 힘을 가진 존재를 상징한다.

2) 약함

종류	사진	상징의미
병아리		어미 닭의 절대적인 보호가 필요한 존재로 아직 성장하지 못해 약하고 위험에 취해 있는 존재로 나타난다. 보호의 필요성, 위험, 열등감 등이 나타난다.
조개		바다에 살고 있으며 몸을 갯벌에 숨기고 있다. 특히 두 개의 단단한 껍질로 자신의 몸을 보호하고 있다. 조개로 표현되는 사람은 자신의 입과 몸을 단단히 보호해야 하는 상황을 의미한다. 종종 여성의 성기로도 의미된다.
개구리		최하위계층의 존재로 동물들 중 가장 약하다. 낮은 자존감을 표현하며, 불안, 열등감, 두려움, 자신감의 부족, 위험 등을 의미한다. 나약하고 무기력한 존재로 표현된다.
강아지		사랑하는 형제나 자녀를 표현하는 데 사용된다. 무기력하고 약한 이미지 보다는 사랑스럽고 돌봐 주고 싶은 이미지를 갖고 있다. 종종 사랑받고 싶은 소망으로 표현되며 자신을 강아지로 세우는 경우 아직 약하고 미수하고 돌봄이 필요한 존재라는 것을 의미한다.
고슴도치		고슴도치는 가족 안에서 위축되어 있는 사람을 나타낸다. 남을 공격하지는 않지만 자신을 감추면서 자기만의 비밀을 간직하고 있다. 긍정적으로는 가족 안에서 남을 공격하지 않는다. 부정적으로는 자기만의 비밀을 간직하고 있으며 다른 사람들과의 관계에서 수동적이고, 폐쇄적으로 움츠러들어 있다가 누군가 건드리면 피해를 돌려주려는 존재이다.
양		온순하고 착한 존재이다. 긍정적으로는 가족 안에서 언제나 착하며 한결같이 주어진 역할을 수행한다. 부정적으로는 너무나 약한 존재여서 무능하고 무기력하며, 다른 가족들을 보호하거나 지키지 못하고, 수동적이며 약하다.
토끼		육상동물 중에 가장 하위에 있는 동물로 약하고, 겁이 많고 위험한 포식자들이 넘치는 세상을 조심스럽게 살아가야할 존재를 의미한다. 낮은 자존가, 불안, 두려움, 자신감의 부족을 상징하며 종종 성적 대상으로 표현된다.

종류	사진	상징의미
알에서 나오는 병아리		동물들의 인생에서 태어나는 순간이 가장 위험한 순간이다. 가장 위험에 노출되어 있기에 자신을 이것으로 표현한다는 것은 매우 위험하고 불안하다는 것을 암시한다.
다람쥐		자연에서 최하위 피식자로 육식동물의 먹이가 되어 자연생태계를 유지시키는 존재이다. 하늘, 땅에서 포식자의 위협이 계속되기 때문에 언제나 긴장하고 경계해야한다. 언제나 겁이 많고, 자신감이 없고, 상대방에 대한 경계심을 풀 수 없는 연약한 존재를 상징한다. 그러나 빠른 순발력과 먹이를 탐욕스럽게 입에 물고 다니는 모습 속에서 중세유럽에서는 탐욕스런 동물로 여겨지기도 하였다.
미어캣		언제나 굴 위에서 서서 하늘과 땅위에서 오는 포식자를 경계하는 동물이다. 늘 상대방과 주변 환경을 경계하고, 눈치 보기 때문에 자신감이 없는 위축된 모습을 나타낸다. 다람쥐처럼 초식동물이 아닌 작은 벌레들을 먹고 사는 육식성 동물로 이들의 주된 먹이는 강한 독을 가진 전갈이기도 해서 무기력하고 무조건적으로 약한 존재만은 아니다.
어린양		너무나 약한 존재여서 무능하고 무기력하며, 누군가가 지켜주고 돌보아야 하며, 수동적이며 약하다.
달팽이		끈적끈적한 몸을 껍질 속에 숨기고 있는 달팽이는 자기의 몸을 보호하는데 모든 에너지를 사용하는 동물이다. 존재감이 없거나 자폐적 성향이 있는 모습을 상징한다.

3) 독립

종류	사진	상징의미
돌고래		자유로운 동물이다. 바다에서 어떤 경계도 없이 오고갈 수 있다. 갈등이 있을 경우 달아날 수 있는 힘을 가진 존재이다. 사랑스럽고, 귀엽고, 영리한, 자유롭고, 자기만의 색깔을 지닌 모습을 갖고 있다. 외상을 경험한 내담자가 선택한 경우 자유와 현실로부터 벗어나고 싶은 욕구를 나타낸다.
거북이		거북이는 장수, 건강의 상징이며 용궁의 메신저의 역할을 하는 영물로 여겨졌다. 단단한 껍질 속에 자기의 몸을 숨기고 있는 모습으로 방어를 의미한다. 부정적으로는 느리고 미련한 존재를 의미하기도 한다. 거북이는 무리를 짓지 않고 단독생활을 하며 홀로 망망대해를 헤엄쳐 다린다. 단독생활의 모습은 개별적인 분리를 상징한다.
독수리		하늘의 제왕으로 영적인 힘을 의미한다. 강한 부리, 발톱, 커다란 날개는 적수가 없게 만들고 고대부터 지금까지 최강의 군대의 상징물(로마, 독일군, 미군)로 여전히 사용된다. 강한 힘과 접근이 불가한 거리감, 초월적인 위치를 상징한다.
고양이		고양이는 독립성과 자유로운 존재로 상징된다. 인간에게 길들여진 동물인 동시에 야생동물의 이중성을 지닌 존재이다. 결코 인간에게 복종하거나 의존하지 않으며 완전히 길들여지지 않는다. 자신이 원하는 것을 알고 또 자신의 길을 간다. 인간의 집을 지키고 쥐와 뱀과 같은 동물들로부터 보호해준다. 선과 악 모두를 지닌 존재로 내면생활과 외부생활, 복과 화의 대립적 이미지를 갖는다. 신이나 초월적인 힘과 인간 사이의 중간자, 악과 선 사이의 중간자적 상징을 갖는다.
말		온순하지만 약하지 않고 자기를 지킬 수 있는 힘을 지닌 존재이다. 자유, 주도권 등을 나타내는 상징물로 사람과 물건을 태우는 존재이기에 모성적 돌봄을 의미하기도 한다. 동물 중 가장 신비롭고, 아름다운 존재로 아름답고 섹시하고 이상적인 사람을 표현하기도 한다.

종류	사진	상징의미
북극곰		북극에 사는 동물 중에 최고로 강한 육식동물이다. 춥고 거친 자연 환경 속에서 살아가는 북극곰은 강한 힘을 상징한다. 그러나 여기서의 힘은 싸움을 잘하는 단순한 공격력을 의미하지 않고, 자연의 거대한 힘 속에서 뛰어난 인내와 생존력을 지닌 존재를 내포한다. 불곰은 뛰어난 싸움꾼을 의미할 수 있지만 북극곰은 거친 자연의 힘으로부터 자신을 지키는 생존의 능력을 나타낸다.
수사슴		큰 뿔은 고대사회에서 위엄 있는 왕관으로 여겨졌으며 왕과 같은 존엄성 있는 존재로 여겨졌다. 유럽과 시베리아에 걸쳐 샤만을 나타내는 동물적 상징으로 수사슴이 활용되었다. 큰 뿔을 지닌 수사슴은 순결하고, 신비로운 힘을 가진 영적 카리스마를 상징하는 샤만을 의미하였다. 또한 큰 뿔을 가진 사슴은 누군가를 의존하지 않고 독립적 생활을 할 수 있는 존재를 나타낸다.
물개		물과 육지를 오고갈 수 있는 능력을 가진 존재로 두 세계를 오고갈 수 있는 특별한 재주를 가진 존재를 나타낸다. 주어진 환경에 구애받지 않고 자유롭게 다닐 수 있으며, 친화적이며 사교적인 모습을 갖는다. 발랄하고 관계 중심적 상징을 갖는다. 인간관계 안에서는 서로 상반된 두 사람과 잘 지내거나 중재해주는 특별한 존재로 나타난다. 그러나 이러한 힘은 가족 안에서 희생양의 역할을 하기도 한다.
학		학은 미지의 세상 또는 저승을 의미하는 상징으로 활용이 되었다. 새를 선택한다는 것은 멀리 떠나거나 현실을 벗어나고 싶은 욕구를 표현한다. 부모를 새로 표현한다면 이것은 자기로부터 사라지기를 바라는 소망이다.
나비		나비는 고치에서 나비로 다시 태어난다. 나비를 선택하는 경우 새로운 시작, 재생, 새로운 출발을 의미한다. 외상을 경험한 내담자가 선택한 경우 현실로부터 벗어나 새로 시작하고 싶은 욕구를 나타낸다.
고래		돌고래와 달리 심해에 머무르는 고래는 심해의 고독한 존재이다. 다른 사람들과 거리를 두고 자기만의 독립된 공간을 추구하는 성향을 나타낸다.

종류	사진	상징의미
부엉이		그리스에서는 미네르바 지혜의 신, 아테나 여신을 상징하며 동양에서는 학문하는 선비를 상징하였다. 부엉이는 전통적으로 관찰자, '다 보고 있는 사람' 등의 이미지를 가졌으며 그러한 특성 덕분에 지혜로운 사람의 이미지를 갖는다.

4) 의존

종류	사진	상징의미
알에서 나오는 병아리		동물들의 인생에서 태어나는 순간이 가장 위험한 순간이다. 가장 위험에 노출되어 있기에 자신을 이것으로 표현한다는 것은 매우 위험하고 불안하다는 것을 암시한다.
토끼		육상동물 중에 가장 하위에 있는 동물로 약하고, 겁이 많고 위험한 포식자들이 넘치는 세상을 조심스럽게 살아가야할 존재를 의미한다. 낮은 자존가, 불안, 두려움, 자신감의 부족을 상징하며 종종 성적 대상으로 표현된다.
병아리		어미 닭의 절대적인 보호가 필요한 존재로 아직 성장하지 못해 약하고 위험에 취해 있는 존재로 나타난다. 보호의 필요성, 위험, 열등감 등이 나타난다.
어린 양		너무나 약한 존재여서 무능하고 무기력하며, 누군가가 지켜주고 돌보아야 하며, 수동적이며 약하다.
강아지		사랑하는 형제나 자녀를 표현하는 데 사용된다. 무기력하고 약한 이미지 보다는 사랑스럽고 돌봐 주고 싶은 이미지를 갖고 있다. 종종 사랑받고 싶은 소망으로 표현되며 자신을 강아지로 세우는 경우 아직 약하고 미수하고 돌봄이 필요한 존재라는 것을 의미한다.
다람쥐		자연에서 최하위 피식자로 육식동물의 먹이가 되어 자연생태계를 유지시키는 존재이다. 하늘과 땅에서 포식자의 위협이 계속되기 때문에 언제나 긴장하고 경계해야한다. 언제나 겁이 많고, 자신감이 없고, 상대방에 대한 경계심을 풀 수 없는 연약한 존재를 상징한다. 그러나 빠른 순발력과 먹이를 탐욕스럽게 입에 물고 다니는 모습 속에서 중세유럽에서는 탐욕스런 동물로 여겨지기도 하였다.
개구리		최하위계층의 존재로 동물들 중 가장 약하다. 낮은 자존감을 표현하며, 불안, 열등감, 두려움, 자신감의 부족, 위험 등을 의미한다. 나약하고 무기력한 존재로 표현된다.
팬더곰		팬더는 인간에게 가장 사랑받은 동물 중 하나이다. 존재 그 자체만으로 사랑스러운 동물 중 하나이다. 팬더를 자기로 선택하는 경우 사랑받고 싶고 존중과 인정받고 싶은 욕구를 나타낸 것이다.

종류	사진	상징의미
코알라		모성본능과 친밀감, 사랑스러운 감정을 느끼게 해주는 동물이다. 늘 나무에 매달려 대부분의 시간 동안 잠을 자지만 존재 그 자체로 사랑받고 귀여운 존재로 여겨진다.

5) 방어/생존

종류	사진	상징의미
고슴도치		고슴도치는 가족 안에서 위축되어 있는 사람을 나타낸다. 남을 공격하지는 않지만 자신을 감추면서 자기만의 비밀을 간직하고 있다. 긍정적으로는 가족 안에서 남을 공격하지 않는다. 부정적으로는 자기만의 비밀을 간직하고 있으며 다른 사람들과의 관계에서 수동적이고, 폐쇄적으로 움츠러들어 있다가 누군가 건드리면 피해를 돌려주려는 존재이다.
거북이		거북이는 장수, 건강의 상징이며 용궁의 메신저의 역할을 하는 영물로 여겨졌다. 단단한 껍질 속에 자기의 몸을 숨기고 있는 모습으로 방어를 의미한다. 부정적으로는 느리고 미련한 존재를 의미하기도 한다. 거북이는 무리를 짓지 않고 단독생활을 하며 홀로 망망대해를 헤엄쳐 다닌다. 단독생활의 모습은 개별적인 분리를 상징한다.
기린		세상에서 가장 큰 키를 가진 포유류인 기린의 심장은 긴 목을 지나 머리까지 피를 끌어올릴 수 있을 만큼 큼직하다. 기린은 가혹한 환경에서 뛰어난 적응력을 발휘해서, 다른 동물들이 닿지 못하는 나무 꼭대기의 가시 돋친 가지도 먹을 수 있다. 기린의 포식자는 사자밖에 없고 민첩한 발길질로 자기를 지킬 수 있다. 기린은 자신과 주변의 동물을 지켜줄 수 있는 경계병의 역할을 하여 다른 동물들에게 돌봄과 보호를 제공할 수 있는 동물이기도 하다. 기린은 적응성과 융통성으로 자기 몫을 제대로 감당하는 존재이다. 자기 스스로의 안전과 주변 환경과의 적응력을 상징하기도 한다.
낙타		낙타는 가장 거친 자연 환경을 상징하는 사막에서 빈약한 자원 속에서도 생존을 위한 훌륭한 능력을 가진 존재이다. 모래, 뜨거운 태양, 부족한 물과 풀에 최적화된 생존 기제를 발달시켰다. 낙타는 열악한 환경 속에서 살아남는 생존의 힘을 나타내며 인내의 상징적 의미를 갖는다.
미어캣		언제나 굴 위에서 서서 하늘과 땅위에서 오는 포식자를 경계하는 동물이다. 늘 상대방과 주변 환경을 경계하고, 눈치 보기 때문에 자신감이 없는 위축된 모습을 나타낸다. 다람쥐처럼 초식동물이 아닌 작은 벌레들을 먹고 사는 육식성 동물로 이들의 주된 먹이는 강한 독을 가진 전갈인데 이는 무기력하고 무조건적으로 약한 존재는 아님을 나타낸다.

종류	사진	상징의미
북극곰		북극에 사는 동물 중에 최고로 강한 육식동물이다. 춥고 거친 자연 환경 속에서 살아가는 북극곰은 강한 힘을 상징한다. 그러나 여기서의 힘은 싸움을 잘하는 단순한 공격력을 의미하지 않고, 자연의 거대한 힘 속에서 뛰어난 인내와 생존력을 지닌 존재를 내포한다. 불곰은 뛰어난 싸움꾼을 의미할 수 있지만 북극곰은 거친 자연의 힘으로부터 자신을 지키는 생존의 능력을 나타낸다.
버팔로		초식동물이지만 버팔로는 육식동물도 함부로 다룰 수 없는 힘을 가진 존재이다. 강하게 돌진하는 힘, 단단한 뿔, 거대한 몸에서 뿜어져 나오는 에너지는 거친 환경 속에서 살아남게 하는 원동력이었다. 고대사회에서 버팔로와 같은 들소는 인간에게 통제될 수 없는 거친 자연의 힘을 상징하는 상징체계로 여겨졌으며 순응하지 않는 원시적 자연의 힘을 나타낸다.
여우		여우는 늑대와 같은 강한 이빨이 없지만 뛰어난 생존 기제를 갖고 있는 동물이다. 환경에 대한 뛰어난 적응력을 갖고 있으며 잔꾀와 순발력은 오랜 동안 사람들에게 신화적 힘을 상징하는 동물로 여겨지게 만들었다. 여우의 힘은 이빨과 단단한 근육이 아닌 잔꾀와 순발력을 통해 환경에 잘 적응하는 모습에 있다. 여우가 개나 늑대들과는 달리 이기적이고, 믿을 수 없는 존재로 여겨지는 것은 그들이 가진 환경에 대한 적응력과 관련이 된다.
코끼리		사회성 있는 존재로 거대한 힘과 연대감, 지혜를 상징한다. 부정적으로 다른 존재와 비교가 되었을 때 거대함으로 정서적 거리감을 느낄 수 있는 존재, 몸짓만 거대한, 우둔한, 미련한 이미지로도 표현되어진다. 코끼리로 표현된 아버지는 거대한 몸을 가진 위협적인 인물로 상대를 제압할 수 있는 파워를 가진 존재로 나타난다.
뱀	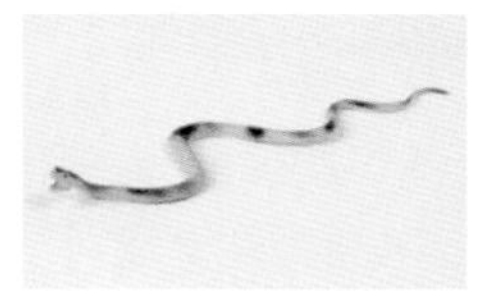	고대로부터 뱀의 상징은 공포와 두려움, 신비로운 힘을 상징하였다. 혐오스럽고 징그러운 이미지를 가졌지만 생명, 지혜, 생존력을 상징한다. 가족 안에서 뱀으로 표현되는 아버지 또는 어머니는 공포감 그 자체를 의미한다. 자신을 뱀으로 표현한 경우는 생존의 위협을 의미한다.

종류	사진	상징의미
개		개는 인간에게 절대적인 충성과 복종을 한다. 인간이 만져주고 다정다감하게 대해주길 바란다. 개는 언제나 인간에게 맹목적인 충성심을 보이며 인간에게 의존한다. 고대로부터 개는 안내자, 경계병으로 여겨졌으며, 특히 개는 경계와 탐지를 위한 목적에서 가장 훌륭하게 자기 몫을 감당하고 인간을 돕는다.
나무		나무는 모든 자연에 사는 생물들의 어머니로서 자연생태계를 유지하는 근본적인 존재이다. 길게 뻗어 하늘로 올라간 나무는 생명력을 의미하여 땅과 하늘을 이어주는 생명의 근원인 남근으로 여겨졌다. 나무는 단단한 껍질을 가지고 언제나 한 자리에 서있기에 자원이 별로 없는 열악한 상황 속에서 버티고 참고 서 있어야하는 존재로 나타난다.
조개		바다에 살고 있으며 몸을 갯벌에 숨기고 있다. 특히 두 개의 단단한 껍질로 자신의 몸을 보호하고 있다. 조개로 표현되는 사람은 자신의 입과 몸을 단단히 보호해야 하는 상황을 의미한다. 종종 여성의 성기로도 의미된다.
암사자		수사자와는 달리 암사자는 모계사회를 형성하며 가족에 대한 충성과 깊은 연대감을 형성한다. 단독생활이 아닌 집단을 중시하는 암사자는 가족에 대한 충성과 책임감을 상징한다.
수탉		수탉은 닭장이라는 작은 세계의 주인이며 대장이다. 자기의 영역을 지키고 암탉과 병아리들을 지키며 방어, 경계를 상징하는 동물이다.
코뿔소		코뿔소는 자연계의 탱크라는 별명을 갖는 동물이다. 초식이지만 강한 추진력과 저돌적 자세로 강력한 힘을 상징한다. 코뿔소는 자기의 영역을 지키고 방어하는 동물이다. 코에 난 뿔은 정신분석적으로 남근을 상징하며 리비도적 힘을 나타낸다.
달팽이		끈적끈적한 몸을 껍질 속에 숨기고 있는 달팽이는 자기의 몸을 보호하는데 모든 에너지를 사용하는 동물이다. 존재감이 없거나 자폐적 성향이 있는 모습을 상징한다.

종류	사진	상징의미
늑대		교활하고 포악한 짐승을 상징하기도 하지만, 무리를 형성하고 무리의 결속과 충성, 연대감을 중시하는 동물이다. 배우자에 대한 충성과 협력, 자식들에 대한 책임과 희생은 자연계에서 유례를 찾아보기 어려울 정도이다. 늑대는 무리에 대한 소속감, 충성, 연대감을 상징하는 의미를 갖는다. 무리를 잃어버린 늑대는 외로운 늑대로 생존과 안전이 위협받는 존재가 된다.
부엉이		그리스에서는 미네르바 지혜의 신, 아테나 여신을 상징하며 동양에서는 학문하는 선비를 상징하였다. 부엉이는 전통적으로 관찰자, '다 보고 있는 사람' 등의 이미지를 가졌으며 그러한 특성 덕분에 지혜로운 사람의 이미지를 갖는다.

6) 공격

종류	사진	상징의미
상어		바다의 최고의 포식자로 적수가 없는 동물이다. 거칠고 오직 본능에 따라 움직이며 어떤 양심의 가책과 죄책감이 없다. 자신을 상어로 표현하는 경우는 상어의 힘이 필요한 절박한 상황을 의미한다.
독사		고대로부터 지금까지 독사는 혐오스럽고 징그러운 동시에 매혹적인 존재로 여겨졌다. 상대의 몸을 얼어붙게 만드는 차갑게 상대를 응시하는 눈, 은밀히 숨어 지내는 능력, 먹이를 잡기 위해 며칠이고 꼼짝하지 않고 자리를 지키는 인내심, 손도 발도 없는 구불구불한 몸 안에서 내재된 신비로운 힘, 속이 빈 날카로운 송곳니에서 뿜어져 나와 살을 파고드는 독에 대한 공포, 치명적인 독을 간직하고 있는 뱀의 날렵한 머리 등은 인간에게 심원의 공포를 갖게 만든다.
독수리		하늘의 제왕으로 영적인 힘을 의미한다. 강한 부리, 발톱, 커다란 날개는 적수가 없게 만들고 고대부터 지금까지 최강의 군대의 상징물(로마, 독일군, 미군)로 여전히 사용된다. 강한 힘과 접근이 불가한 거리감, 초월적인 위치를 상징한다.
멧돼지		멧돼지는 광포하고 도저히 제어가 안 되는 거친 힘을 상징한다. 특히 흥분하였을 때는 통제 할 수 없는 두려운 힘을 가진 존재를 상징한다. 멧돼지가 흥분하게 될 때는 언제나 위험에 처했다고 여겨지거나 누군가의 공격으로 상처를 입었을 때이며, 이 순간 무서운 존재로 돌변한다. 상처 입고 두려움 속에서 무섭게 상대방을 공격할 수 있는 존재로 나타난다.
뱀	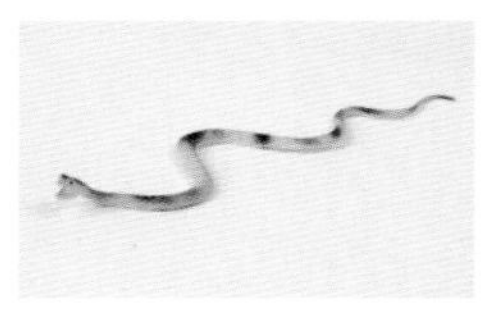	고대로부터 뱀의 상징은 공포와 두려움, 신비로운 힘을 상징하였다. 혐오스럽고 징그러운 이미지를 가졌지만 생명, 지혜, 생존력을 상징한다. 가족 안에서 뱀으로 표현되는 아버지 또는 어머니는 공포감 그 자체를 의미한다. 자신을 뱀으로 표현한 경우는 생존의 위협을 의미한다.
불곰		고대사회에서 불곰은 전쟁의 신으로 여겨졌다. 최고의 싸움꾼으로 거친 공격성과 원시적 힘을 상징한다. 갈등상대와 타협과 화해를 시도하기보다 투쟁과 전쟁으로 문제를 해결하려는 속성을 지닌다.

종류	사진	상징의미
악어		고대로부터 악어는 인간의 끝없는 공포감을 불러일으키는 동물로 강한 가죽과 이빨, 끈기, 인내의 힘은 적수가 없는 동물이 되게 하였다. 악어로 표현되는 인물은 공포, 두려움을 일으키는 인물로 원시적 자연의 힘을 가진 사람으로 통제 불가의 존재를 의미한다.
공룡		공룡으로 표현되는 사람은 소위 최강의 존재이다. 도저히 상대할 수 없는 절망감을 느끼게 하는 힘 있는 존재이다. 무엇보다 소통과 관계를 형성할 수 없게 만드는 존재로 나타난다.
수사자		사자는 자연에서 그 누구도 근접하지 못하는 가장 큰 파워를 지닌 존재이다. 특히 수사자는 존재 자체에서 풀기는 카리스마는 누구도 범접하기 어려운 존재이다. 사자를 소망하는 것은 무리의 우두머리 또는 왕, 무리를 통솔할 수 있는 힘을 소망하는 것이다.
흑표범		검은 색에서 풍겨나는 원시적이고 야생의 거친 힘을 소망한다는 것은 그 만큼 내재된 분노와 갈등이 크다는 것을 의미한다. 상대가 도저히 자신을 제압하거나 통재하지 못할 거대한 원시적 힘을 소망하는 것이다.
코끼리		사회성 있는 존재로 거대한 힘과 연대감, 지혜를 상징한다. 부정적으로 다른 존재와 비교가 되었을 때 거대함으로 정서적 거리감을 느낄 수 있는 존재, 몸짓만 거대한, 우둔한, 미련한 이미지로도 표현되어진다. 코끼리로 표현된 아버지는 거대한 몸을 가진 위협적인 인물로 상대를 제압할 수 있는 파워를 가진 존재로 나타난다.
호랑이		호랑이는 강력한 아니마를 상징하는 동물로 여성적, 수동적 힘을 상징한다. 호랑이는 민첩성, 생존기술이 매우 높고 독립생활을 한다. 호랑이의 힘은 고대로부터 영적인 힘으로 여겨졌고 사납고, 상대가 자신을 통제 할 수 없는 힘을 가진 존재를 소망하는 것이다.

종류	사진	상징의미
늑대		교활하고 포악한 짐승을 상징하기도 하지만, 무리를 형성하고 무리의 결속과 충성, 연대감을 중시하는 동물이다. 배우자에 대한 충성과 협력, 자식들에 대한 책임과 희생은 자연계에서 유례를 찾아보기 어려울 정도이다. 늑대는 무리에 대한 소속감, 충성, 연대감을 상징하는 의미를 갖는다. 무리를 잃어버린 늑대는 외로운 늑대로 생존과 안전이 위협받는 존재가 된다.
코뿔소		코뿔소는 자연계의 탱크라는 별명을 갖는 동물이다. 초식이지만 강한 추진력과 저돌적 자세로 강력한 힘을 상징한다. 코뿔소는 자기의 영역을 지키고 방어하는 동물이다. 코에 난 뿔은 정신분석적으로 남근을 상징하며 리비도적 힘을 나타낸다.
암사자		수사자와는 달리 암사자는 모계사회를 형성하며 가족에 대한 충성과 깊은 연대감을 형성한다. 단독생활이 아닌 집단을 중시하는 암사자는 가족에 대한 충성과 책임감을 상징한다.

7) 긍정적 소망

종류	사진	상징의미
학		학은 미지의 세상 또는 저승을 의미하는 상징으로 활용이 되었다. 새를 선택한다는 것은 멀리 떠나거나 현실을 벗어나고 싶은 욕구를 표현한다. 부모를 새로 표현한다면 이것은 자기로부터 사라지기를 바라는 소망이다.
돌고래		자유로운 동물이다. 바다에서 어떤 경계도 없이 오고갈 수 있다. 갈등이 있을 경우 달아날 수 있는 힘을 가진 존재를 나타낸다. 사랑스럽고, 귀엽고, 영리한, 자유롭고, 자기만의 색깔을 지닌 모습을 갖고 있다. 외상을 경험한 내담자가 선택한 경우 자유와 현실로부터 벗어나고 싶은 욕구를 나타낸다.
나비		나비는 고치에서 나비로 다시 태어난다. 나비를 선택하는 경우 새로운 시작, 재생, 새로운 출발을 의미한다. 외상을 경험한 내담자가 선택한 경우 현실로부터 벗어나 새로 시작하고 싶은 욕구를 나타낸다.
팬더 곰		팬더는 인간에게 가장 사랑받은 동물 중 하나이다. 존재 그 자체만으로 사랑스러운 동물 중하나이다. 팬더를 자기로 선택하는 경우 사랑받고 싶고 존중과 인정받고 싶은 욕구를 나타낸 것이다.
말		말은 자유로움과 아름다움을 가진 자연계 최고의 멋쟁이다. 피해아동이 말로 자기를 표현한다면 이것은 현실로부터 달아나고 싶은 욕구를 상징한다. 벗어나고 싶지만 선택권과 주도권이 없다면 불가능하다. 말은 스스로 자기 문제를 해결하거나 벗어나고 싶다는 구체적 해결의 의지를 나타낸다.
강아지		강아지는 팬더와 함께 가장 사랑스러운 동물 중 하나이다. 존재 그 자체가 사랑스럽기 때문에 피해아동이 이것을 선택한다는 것은 사랑받고 싶고 배려와 돌봄을 받고 싶은 요구를 나타낸 것이다.
거북이		거북이는 장수, 건강의 상징이며 용궁의 메신저의 역할을 하는 영물로 여겨졌다. 단단한 껍질 속에 자기의 몸을 숨기고 있는 모습으로 방어를 의미한다. 부정적으로는 느리고 미련한 존재를 의미하기도 한다. 거북이는 무리를 짓지 않고 단독생활을 하며 홀로 망망대해를 헤엄쳐 다닌다. 단독생활의 모습은 개별적인 분리를 상징한다.

종류	사진	상징의미
캥거루		헌신적인 모성의 상징이다. 자녀를 자기의 자궁에서 돌보고 위험으로부터 어느 정도 자신과 자녀들을 보호할 수 있는 힘을 지닌다.
수사슴		큰 뿔은 고대사회에서 위엄 있는 왕관으로 여겨졌으며 왕과 같은 존엄성 있는 존재로 여겨졌다. 유럽과 시베리아에 걸쳐 샤만을 나타내는 동물적 상징으로 수사슴이 활용되었다. 큰 뿔을 지닌 수사슴은 순결하고, 신비로운 힘을 가진 영적 카리스마를 상징하는 샤만을 의미하였다. 또한 큰 뿔을 가진 사슴은 누군가를 의존하지 않고 독립적 생활을 할 수 있는 존재를 나타낸다.
젖소		온순하고 상황에 적응하려고 애를 쓰고 주어진 상황에서 최선을 다해 돌보고 양육하는 존재로 나타난다. 대부분 긍정의 이미지가 강하다. 가족을 공격하거나 비난하기보다는 보호하고 책임을 지려는 모성적 동물의 원형이다.
개		개는 인간에게 절대적인 충성과 복종을 한다. 인간이 만져주고 다정다감하게 대해주길 바란다. 개는 언제나 인간에게 맹목적인 충성심을 보이며 인간에게 의존한다. 고대로부터 개는 안내자, 경계병으로 여겨졌으며, 특히 세퍼트는 경계와 탐지를 위한 목적에서 가장 훌륭하게 자기 몫을 감당하고 인간을 돕는다.
백조		백조는 가장 아름다운 조류 중 하나이다. 흰 몸을 갖고 있어 고대로부터 '빛'을 상징하는 의미를 가졌으며 제우스신을 나타내는 상징 중 하나였다. 아름다움을 통해 타인의 관심과 지지를 받을 수 있는 존재이다.
물개		바다와 육지를 오고갈 수 있는 능력을 가진 존재로 두 세계를 오고갈 수 있는 특별한 재주를 가진 존재를 나타낸다. 주어진 환경에 구애받지 않고 자유롭게 다닐 수 있으며, 친화적이며 사교적인 모습을 갖는다. 발랄하고 관계 중심적 상징을 갖는다. 인간관계 안에서는 서로 상반된 두 사람과 잘 지내거나 중재해주는 특별한 존재로 나타난다. 그러나 이러한 힘을 갖고 있기에 가족 안에서 희생양의 역할을 하기도 한다.

종류	사진	상징의미
부엉이		그리스에서는 미네르바 지혜의 신, 아테나 여신을 상징하며 동양에서는 학문하는 선비를 상징하였다. 부엉이는 전통적으로 관찰자, '다 보고 있는 사람' 등의 이미지를 가졌으며 그러한 특성 덕분에 지혜로운 사람의 이미지를 갖는다.
고래		돌고래와 달리 심해에 머무르는 고래는 심해의 고독한 존재이다. 다른 사람들과 거리를 두고 자기만의 독립된 공간을 추구하는 성향을 나타낸다.
코알라		모성본능과 친밀감, 사랑스러운 감정을 느끼게 해주는 동물이다. 늘 나무에 매달려 대부분의 시간 동안 잠을 자지만 존재 그 자체로 사랑받고 귀여운 존재로 여겨진다.
앵무새		화려한 색깔은 꾸미기 좋아하고, 떠들고 말하기 좋아하는 특성을 나타낸다. 종종 자기애적 모습을 나타내기도 하며 말쟁이, 이국적인 특성을 상징한다.
원숭이		원숭이는 인간과 가장 유사한 사회적 동물이지만 충동적이고, 흥분하기 쉽고 들떠있는 특성이 있다. 특히 자유롭고 재미있으며 재롱을 부리고 뛰노는 유아적 자세를 나타낸다.
암사자		수사자와는 달리 암사자는 모계사회를 형성하며 가족에 대한 충성과 깊은 연대감을 형성한다. 단독생활이 아닌 집단을 중시하는 암사자는 가족에 대한 충성과 책임감을 상징한다.

8) 부정적 소망

종류	사진	상징의미
악어		고대로부터 악어는 인간의 끝없는 공포감을 불러일으키는 동물로 강한 가죽과 이빨, 끈기, 인내의 힘은 적수가 없는 동물이 되게 하였다. 악어로 표현되는 인물은 공포, 두려움을 일으키는 인물로 원시적 자연의 힘을 가진 사람으로 통제 불가의 존재를 의미한다.
불곰		최고의 싸움꾼인 불곰으로 선택한다는 것은 거친 공격성과 원시적 힘을 소유하고 싶은 것이다. 타협과 화해가 불가능한 환경 속에서 잘 투쟁하기 위한 힘을 소망한다.
흑표범		검은 색에서 풍겨나는 원시적이고 야생의 거친 힘을 소망한다는 것은 그 만큼 내재된 분노와 갈등이 크다는 것을 의미한다. 상대가 도저히 자신을 제압하거나 통재하지 못할 거대한 원시적 힘을 소망하는 것이다.
수사자		사자는 자연에서 그 누구도 근접하지 못하는 가장 큰 파워를 지닌 존재이다. 특히 수사자는 존재 자체에서 풀기는 카리스마는 누구도 범접하기 어려운 존재이다. 사자를 소망하는 것은 무리의 우두머리 또는 왕, 무리를 통솔할 수 있는 힘을 소망하는 것이다.
호랑이		호랑이는 강력한 아니마를 상징하는 동물로 여성적, 수동적 힘을 상징한다. 호랑이는 민첩성, 생존기술이 매우 높고 독립생활을 한다. 호랑이의 힘은 고대로부터 영적인 힘으로 여겨졌고 사납고, 상대가 자신을 통제 할 수 없는 힘을 가진 존재를 소망하는 것이다.
돼지		내담자 스스로를 돼지로 세운 경우 미련함, 게으름, 지저분함의 부정적 이미지를 가지지만 소망인 경우는 무리를 이끄는 대장의 위치와 리더쉽을 의미한다.
상어		바다의 최고의 포식자로 적수가 없는 동물이다. 거칠고 오직 본능에 따라 움직이며 어떤 양심의 가책과 죄책감이 없다. 자신을 상어로 표현하는 경우는 상어의 힘이 필요한 절박한 상황을 의미한다.

종류	사진	상징의미
뱀		고대로부터 뱀의 상징은 공포와 두려움, 신비로운 힘을 상징하였다. 혐오스럽고 징그러운 이미지를 가졌지만 생명, 지혜, 생존력을 상징한다. 소망으로 표현된 뱀은 생존의 위협으로부터 잘 적응하고 살아남기를 바라는 생존의 욕구와 관련이 있다.
독사		고대로부터 지금까지 독사는 혐오스럽고 징그러운 동시에 매혹적인 존재로 여겨졌다. 상대의 몸을 얼어붙게 만드는 차갑게 상대를 응시하는 눈, 은밀히 숨어 지내는 능력, 먹이를 잡기 위해 며칠이고 꼼짝하지 않고 자리를 지키는 인내심, 손도 발도 없는 구불구불한 몸 안에서 내재된 신비로운 힘, 속이 빈 날카로운 송곳니에서 뿜어져 나와 살을 파고드는 독에 대한 공포, 치명적인 독을 간직하고 있는 뱀의 날렵한 머리 등은 인간에게 심원의 공포를 갖게 만든다.
독수리		하늘의 제왕으로 영적인 힘을 의미한다. 강한 부리, 발톱, 커다란 날개는 적수가 없게 만들고 고대부터 지금까지 최강의 군대의 상징물(로마, 독일군, 미군)로 여전히 사용된다. 강한 힘과 접근이 불가한 거리감, 초월적인 위치를 상징한다.
공룡		공룡으로 표현되는 사람은 소위 최강의 존재이다. 도저히 상대할 수 없는 절망감을 느끼게 하는 힘 있는 존재이다. 무엇보다 소통과 관계를 형성할 수 없게 만들는 존재로 나타난다.
여우		여우는 늑대와 같은 강한 이빨이 없지만 뛰어난 생존 기제를 갖고 있는 동물이다. 환경에 대한 뛰어난 적응력을 갖고 있으며 잔꾀와 순발력은 오랜 동안 사람들에게 신화적 힘을 상징하는 동물로 여겨지게 만들었다. 여우의 힘은 이빨과 단단한 근육이 아닌 잔꾀와 순발력을 통해 환경에 잘 적응하는 모습에 있다. 여우가 개나 늑대들과는 달리 이기적이고, 믿을 수 없는 존재로 여겨지는 것은 그들이 가진 환경에 대한 적응력과 관련이 된다.

종류	사진	상징의미
버팔로		초식동물이지만 버팔로는 육식동물도 함부로 다룰 수 없는 힘을 가진 존재이다. 강하게 돌진하는 힘, 단단한 뿔, 거대한 몸에서 뿜어져 나오는 에너지는 거친 환경 속에서 살아남게 하는 원동력이었다. 고대사회에서 버팔로와 같은 들소는 인간에게 통제될 수 없는 거친 자연의 힘을 상징하는 상징체계로 여겨졌으며 순응하지 않는 원시적 자연의 힘을 나타낸다.
코끼리		사회성 있는 존재로 거대한 힘과 연대감, 지혜를 상징한다. 부정적으로 다른 존재와 비교가 되었을 때 거대함으로 정서적 거리감을 느낄 수 있는 존재, 몸짓만 거대한, 우둔한, 미련한 이미지로도 표현되어진다. 코끼리로 표현된 아버지는 거대한 몸을 가진 위협적인 인물로 상대를 제압할 수 있는 파워를 가진 존재로 나타난다.
코뿔소		코뿔소는 자연계의 탱크라는 별명을 갖는 동물이다. 초식이지만 강한 추진력과 저돌적 자세로 강력한 힘을 상징한다. 코뿔소는 자기의 영역을 지키고 방어하는 동물이다. 코에 난 뿔은 정신분석적으로 남근을 상징하며 리비도적 힘을 나타낸다.
고릴라		고릴라는 강력한 아니무스적인 동물로 대장 또는 족장과 같은 존재이다. 강력한 힘을 가지고 무리를 다스리는 가부장적, 또는 카리스마적 힘을 가진 존재를 상징한다.
고슴도치		고슴도치는 가족 안에서 위축되어 있는 사람을 나타낸다. 남을 공격하지는 않지만 자신을 감추면서 자기만의 비밀을 간직하고 있다. 긍정적으로는 가족 안에서 남을 공격하지 않는다. 부정적으로는 자기만의 비밀을 간직하고 있으며 다른 사람들과의 관계에서 수동적이고, 폐쇄적으로 움츠러들어 있다가 누군가 건드리면 피해를 돌려주려는 존재이다.

종류	사진	상징의미
멧돼지		멧돼지는 광포하고 도저히 제어가 안 되는 거친 힘을 상징한다. 특히 흥분하였을 때는 통제 할 수 없는 두려운 힘을 가진 존재를 상징한다. 멧돼지가 흥분하게 될 때는 언제나 위험에 처했다고 여겨지거나 누군가의 공격으로 상처를 입었을 때이며, 이 순간 무서운 존재로 돌변한다. 상처 입고 두려움 속에서 무섭게 상대방을 공격할 수 있는 존재이기도 하다.
늑대		교활하고 포악한 짐승을 상징하기도 하지만, 무리를 형성하고 무리의 결속과 충성, 연대감을 중시하는 동물이다. 배우자에 대한 충성과 협력, 자식들에 대한 책임과 희생은 자연계에서 유례를 찾아보기 어려울 정도이다. 늑대는 무리에 대한 소속감, 충성, 연대감을 상징하는 의미를 갖는다. 무리를 잃어버린 늑대는 외로운 늑대로 생존과 안전이 위협받는 존재가 된다.
암사자		수사자와는 달리 암사자는 모계사회를 형성하며 가족에 대한 충성과 깊은 연대감을 형성한다. 단독생활이 아닌 집단을 중시하는 암사자는 가족에 대한 충성과 책임감을 상징한다.

Ⅱ

인형심리평가의 실시과정

1. 자기인식

1. 자기인식		
단계	평가자	유의사항
1.1 자신을 상징하는 동물인형 고르기	① "여기 있는 동물인형들 중에서 나라고 생각하는 동물을 골라보세요." (부연설명) 잘 고르지 못하면, "어떤 동물이 나와 닮았는지 찾아보세요." (예시) "00동물을 골랐군요. 나라고 생각되는 동물이 또 있는지 다시 골라보세요." "이번엔 00동물을 골랐군요. 2개 더 골라보세요." ② "00동물이 왜 나라고 생각했나요?" (부연설명) "어떤 부분이 나랑 닮았다고 생각되세요?" (답을 하지 못하면) 00동물이 00와 닮았다고 생각했군요. ③ "00가 고른 동물인형을 잘 기억할 수 있게 사진을 찍겠습니다."	내담자가 동물인형들을 눈으로 살펴보고 있을 때, "동물들을 보고 있군요." 라며 내담자의 움직임에 따라 천천히 진행한다. 만약 동물인형을 4개까지 선택하지 못하면 선택한 수에서 멈춰도 된다. 4개의 동물인형을 가져온 이유를 모두 듣는다. 진술을 기록한다.
1.2 소망하는 동물인형 고르기	① "이번엔 소망하는 동물을 찾아 볼 겁니다. 00는 어떤 동물이 되고 싶은지 골라보세요." "00동물을 골랐군요. 되고 싶은 동물이 또 있는지 다시 골라보세요." ②"00는 00동물이 왜 되고 싶나요?" "그렇군요. 00가 되고 싶어서 00를 골랐군요." ③ "00가 고른 동물인형을 잘 기억할 수 있게 사진을 찍을 거예요."	4개의 동물을 왜 소망하는지 그 이유를 모두 듣는다. 내담자가 가져온 동물인형은 항상 명명해서 언급해준다.

2. 타인인식 - 동물의 세계

2. 타인인식		
단계	평가자	유의사항
2.1 동물들이 사는 세계를 만들기 (동물의 왕국)	① "여기 있는 동물들을 골라 나만의 동물의 세상을 만들어 보세요. 어떤 동물이던지 자유롭게 골라서 이 위에 세워 놓으세요." (부연설명) "동물들의 개수나 종류에 상관없이 내가 놓고 싶은 동물들 모두 가져와서 나만의 동물의 왕국을 만들 거예요." (예시) 00동물들을 두 개씩 가져왔군요. 00동물들이 한 곳에 모여 있군요. ② "어떤 동물들이 사는 세상인가요?" (예시) "그렇군요. 00동물들이 사는 동물의 왕국을 만들었군요."	탁자 위에 인형깔개를 준비하고 동물인형들을 탁자 위에 놓은 후 그 위에 선택한 동물들을 자유롭게 배치하게 한다. 내담자가 자유롭게 동물인형을 관찰하고 고르게 할 수 있도록 시간을 준다. 동물인형은 육상동물, 새, 파충류, 곤충, 해양동물로 구분된다.
2.2 동물의 왕국에 대한 이야기를 만들고 왕국에 이름 붙이기	① "00의 동물의 왕국을 소개해주세요." (예시) "초식동물들만 모여 사는 안전한 동물의 왕국을 만들었군요." ② "내가 만든 00만의 동물의 왕국에 이름을 붙여주세요" (부연설명) "나라마다 이름이 있잖아요. 이 나라의 이름은 무엇인가요?" (예시) "00라는 이름의 왕국이군요." ③ "00가 만든 동물의 왕국을 잘 기억할 수 있게 사진을 찍을 거예요."	내담자가 동물의 왕국을 소개할 때 구체적으로 세워진 위치나 모여 있는 모습을 보면서 추가 설명을 하게 한다. 이름을 붙이는 과정 속에서 내담자가 자신이 만든 세계를 여러 각도로 인식할 수 있도록 돕지만 개입하지 않고 경청한다.

3. 가족관계 세우기

3. 가족관계		
단계	평가자	유의사항
3.1 현재의 가족을 동물인형으로 고르고 친한 사람끼리 세우기	① "이번엔 00의 가족들을 골라 보세요. 00의 가족은 누구누구지요? (부연설명) "엄마라고 생각되는 동물을 골라 보세요. 무엇이 엄마처럼 보일까요?" "00동물을 골랐군요. 00가 왜 엄마 같을까요?" "이번엔 아빠/형제/자매를 골라보세요" ② "동물 중에서 누가 누구하고 서로 친한지 친한 동물들끼리 세워보세요" "그렇군요. 이 동물과 이 동물이 서로 친하군요." "이 동물들이 서로 친한 이유가 있나요?" ③ "00가 고른 동물인형을 잘 기억할 수 있게 사진을 찍을 거예요."	내담자가 가족의 이미지를 떠올리기 쉽게 가족에 대해 물은 뒤 가족구성원 중 한 명씩 선택하여 고르게 한 뒤 선택한 이유에 대한 설명을 듣는다. 친한 동물인형을 잘 세우지 못하면 가지고 온 동물인형을 놓고 싶은 대로 세워놓게 한다. 여기에서 가족 간의 거리감, 방향, 서 있는 모습까지 정확하게 세우게 한다.
3.2 소망하는 동물인형 세우기	① "이번엔 우리 가족이 어떤 동물이었으면 좋겠는지 00가 바라는 동물들로 바꾸어 보세요." (부연설명) "엄마를 00동물로 골랐었는데 어떤 동물로 바꾸면 좋을 지 골라보세요." "엄마가 00동물이었으면 좋겠군요. 왜 00동물이면 좋다고 생각하나요?" ② "00가 고른 동물인형을 잘 기억할 수 있게 사진을 찍을 거예요."	반복해서 선택하지 않도록 소망하는 부분에 강조점을 두고 선택하도록 돕는다. 가족구성원을 차례로 같은 방식으로 고르게 하고 그 이유를 말하게 한다.

4. 대인관계 및 또래관계 세우기

4. 대인관계 / 또래관계		
단계	평가자	유의사항
4.1 현재 관계를 맺고 있는 사람들/친구들을 동물인형으로 고르고 친한 사람끼리 세우기	① "이번엔 00와 관계를 맺고 있는 사람들(친구들)을 골라보세요. 00의 주변에는 어떤 사람(친구)들이 있나요?" (답을 듣고) "그렇군요. 00동물과 00동물… 00동물들이 있군요." "무엇 때문에 00동물을 골랐나요?" (답을 듣고) "그렇군요. 그래서 00로 골라왔군요." ② "동물 중에서 누가 누구하고 서로 친한지 친한 동물들끼리 세워보세요" (예시) "그렇군요. 얘와 얘가 서로 친하고, 얘와 얘가 서로 친하군요." ③ "00가 고른 동물인형을 잘 기억할 수 있게 사진을 찍을 거예요."	내담자가 주변인(또래친구)들의 이미지를 떠올리기 쉽게 주변사람(또래친구)들에 대해 물은 뒤 한 명씩 선택하여 고르게 한 뒤 선택한 이유에 대한 설명을 듣는다. 친한 동물인형을 잘 세우지 못하면 가지고 온 동물인형을 놓고 싶은 대로 세워놓게 한다. 여기에서 주변인(또래친구)들 간의 거리감, 방향, 서 있는 모습까지 정확하게 세우게 한다.
4.2 소망하는 동물인형 세우기	① "이번엔 주변인(친구)들이 어떤 동물이었으면 좋겠는지 00가 바라는 동물들로 바꾸어 보세요." (예시) "친구가 00동물이었는데 00동물이었으면 좋겠는지 골라보세요." "친구가 00동물이었으면 좋겠군요. 왜 00동물로 바꾸고 싶나요?" ② "00가 고른 동물인형을 잘 기억할 수 있게 사진을 찍을 거예요."	반복해서 선택하지 않도록 소망하는 부분에 강조점을 두고 선택하도록 돕는다. 선택한 주변인(친구)들을 차례로 같은 방식으로 고르게 하고 그 이유를 말하게 한다.

III

인형심리평가의 활용

1. 학대피해아동 및 학대행위자 심리진단평가

1) 트라우마를 위한 치료도구로서의 인형치료

가족을 체계로 사고하는 것은 우리 인간이 불가피하게 사회적인 존재라는 사실을 바탕으로 하고 있다(Bradshaw, 1996). 가족은 단순히 아버지, 어머니, 자녀로 이루어진 것이 아니라 오랜 세월에 걸쳐 형성된 여러 세대들의 체계로 고유한 규칙과 기대와 의무를 갖게 된다. 이런 고유한 규칙과 기대와 의무는 삶 전반에 걸쳐 정교화되며 한 개인의 행동, 생각, 느낌 및 대인 관계에 중요한 영향을 미친다.

넓은 의미에서 심리적 외상, 트라우마라고 하는 것은 자신이나 세상에 대해 부정적이고 비합리적인 잘못된 믿음이 생겨나도록 하는 모든 경험들이라고 할 수 있다. 이렇게 우리가 살아가면서 경험하게 되는 트라우마들은 빅 트라우마와 스몰 트라우마로 나눌 수 있다. 빅 트라우마는 전쟁, 재난, 천재지변, 불의의 사고, 강간, 아동기 성폭행 등과 같이 일상을 넘어서는 커다란 사건이 한 개인의 삶에 극적인 영향을 주는 경험을 말한다. 비교적 약한 트라우마는 각 개인의 삶에서 자신감 혹은 자존감을 잃게 만드는 일상에서의 경험, 사건을 말한다. 이런 경험들이 자신에 대해서 부정적이고 제한적인 믿음을 갖게 하여 자신의 잠재력을 충분히 발휘하지 못하고 위축되고 불만족스러운 삶을 살게 한다(김준기, 2009).

아동의 외상 경험을 집중적으로 연구한 정신과 의사 Terr 박사는 일회적(single-biow) 외상과 반복적(repeated) 외상을 구별했다. 일회적으로 일어난 충격적 사건이 어떤 사람에게는 지속적인 외상적 반응을 일으킬 수 있다. 지진, 토네이도, 눈사태, 화재, 홍수, 허리케인, 화산 폭발 등의 자연재해나 댐이나 건물의 붕괴, 비행기 추락 등의 기술적 재해가 그 예이다. 또한 폭력적 범죄와 외상적인 상실 등이 일회적 외상에 포함된다. 이처럼 일회적 사건도 외상적일 수 있으나 심각한 정신 장애를 초래하는 외상경험은 대개 지속적이고 반복적이며 수년에 걸쳐 일어나는 경우가 많다(Allen, 2010).

인형치료를 통해 내담자는 부모와 조부모의 삶의 영향 때문에 자신의 삶에 불행이 반복되고 있음을 발견할 때, 그리고 지금까지 그들을 잘못된 길로 이끈 것이 무엇이었는지를 인식하게 될 때 비로소 문제를 극복할 수 있다. 그러나 과거를 발견하는 이러한 작업은 내담자에게 큰 고통을 주는 작업으로 여러 세대에 걸쳐 가족이 안고 있는 모든 비밀과 금기를 반복해서 보게 된다(최광현, 2014). 트라우마로 고통스러워하는 내담자는 특정한 기법만으로는 치유되지 않는다. 자기를 마음으로 수용해 주고 지지해 주는 누군가를 만나거나 또는 트라우마의 얽힘을 알게 될 때 감정의 치유를 경험한다.

인형치료는 인형이라는 매개체를 통해 상담사의 공감과 지지를 촉진시켜 내담자에게 수용적인 관계를 제공한다. 내담자는 상담사와의 관계를 통해 자기의 트라우마를 직면할 수 있는 용기를 얻게 된다. 또한 인형치료는 트라우마의 실체를 직면하게 함으로써 트라우마를 현재와 분리시키게 된다. 분리 작업을 통해 과거와 현재의 삶에 대한 통찰을 얻게 되고, 새로운 자아상과 자존감을 형성할 수 있는 토대를 제공하게 된다. 이렇게 인형은 트라우마를 상징체계를 통해 다루어 안전하게 현재와 과거를 분리하는 치료적 가능성을 제공하고 문제의 실타래를 풀 수 있는 통찰의 기회를 제공한다(최광현, 2013a).

트라우마는 주관적인 성격을 갖는다. 즉, 어떤 트라우마를 겪었는가보다 자신의 트라우마를 어떤 시각으로 보는가가 더 중요하다. 이처럼 트라우마가 상대적이라는 것은 결국 관점 또는 패러다임을 어떻게 세우느냐에 따라서 그것을 극복해 나갈 수도 있고 그것에 끌려다닐 수도 있음을 뜻한다. 이러한 트라우마로부터의 회복은 상담사가 대신 이루어 줄 수 있는 것이 아니며, 오로지 내담자 스스로의 힘으로만 가능하다(최광현, 2013a).

2) 학대피해아동과 학대행위자 심리진단평가에서의 동물인형 상징체계

학대피해아동 심리진단평가에서는 학대의 상황을 진단과 평가하기 위해 총 34개의 인형을 사용한다. 34개의 동물인형은 각각 고유의 상징적 의미를 갖고 있다. 34개의 동물인형은 행위자, 피해자, 보호자, 소망의 차원의 상징적 의미에 각각 속한다. 대부분의 동물인형들은 한 가지의 상징의미를 갖는다. 예를 들어, 공룡은 가해자를 의미한다. 그러나 몇 개의 동물인형들은 두 가지 이상의 의미를 갖고 있다. 예를 들어 코끼리는 가해자일 수 있으며 동시에 보호자를 의미할 수 있다.동물상징체계의 해석은 크게 4가지로 나누어진다.

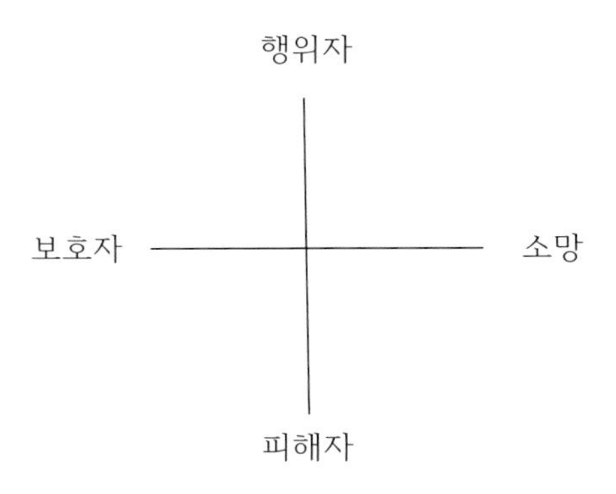

34개의 동물인형은 다음과 같다.

<코끼리, 불곰, 흑표범, 사자, 호랑이, 돼지, 상어, 코브라, 도마뱀, 악어, 뱀, 독수리, 공룡, 병아리, 나비, 조개, 개구리, 돌, 강아지, 고슴도치, 어린양, 토끼, 양, 알에서 나오는 병아리, 젖소, 개, 캥거루, 돼지, 말, 학, 돌고래, 나비, 새, 팬더>

행위자에 속하는 동물인형은 코끼리, 불곰, 흑표범, 사자, 상어, 공룡, 호랑이, 돼지, 코브라, 뱀, 도마뱀, 악어 그리고 독수리이다.

피해자에 속하는 동물인형은 병아리, 나비, 조개, 개구리, 돌, 강아지, 고슴도치, 양, 어린양, 토끼 그리고 알에서 나오는 병아리이다.

보호자에 속하는 동물인형은 젖소, 개, 캥거루, 돼지, 말, 양, 코끼리이다.

소망하는 동물인형은 긍정적 소망에 학, 일반 새, 돌고래, 나비, 팬터, 말, 강아지가 속해있으며, 부정적 소망에는 코끼리, 불곰, 흑표범, 사자, 호랑이 돼지, 상어, 코브라와 뱀이 속해 있다.

학대피해아동은 인형을 통해 무의식 속에 있던 행위자인 부모의 이미지와 자신의 이미지를 표현할 수 있으며, 동물상징체계들이 갖고 있는 풍부하고 다양한 의미체계는 학대피해아동에게 쉽고 안전하게 서로를 향했던 투사를 객관적으로 인식하는데 도움을 주게 된다.

인형치료는 무의식과 상징체계를 기본 주제로 가족 안에서 무의식적으로 발생되고 반복된 가족 트라우마를 치료하는 심리치료 모델이다. 폭력과 학대 문제를 가진 가족 또는 대상자들은 의식적 차원과 언어적 표현의 세계 속에서 자신들의 문제를 표현하는데 어려움을 갖는다. 저항, 방어, 죄책감, 수치심, 두려움 등이 뒤엉켜서 상담원이 의도하는 대로 진술하기 어렵다. 따라서 동물상징체계를 통해 방어를 줄이고 행위자 또는 피해자의 부정적인 감정을 직면시키지 않을 도구로서 인형진단평가는 매우 효과적이다.

학대피해아동 심리진단평가 매뉴얼

1. 라포형성		
단계	상담원	유의사항
1.1 상담원 소개	“오늘은 0월0일 현재 시간은 00입니다. 이제 00에서 00에게 면담을 시작하겠습니다.” “안녕? 내 이름은 000이야. 00아동보호전문기관 상담원이야.”	자신의 소속과 동석자를 함께 소개한다.
1.2 면담내용 녹화 소개	“00야, 지금부터 우리가 이야기하는 것을 녹음할거야. 우리가 이야기하는 것을 내가 다 기억하기 어려워 잊어버리지 않으려고 녹음하는 거야”	아동과의 첫 만남에서 학대로 초래된 발육부진이나 영양실조, 혹은 비위생 상태를 관찰하여 평가한다.
1.3 라포형성	“나는 00같은 아이들을 만나서 함께 동물인형을 가지고 이야기하는 사람이야. 지금까지 많은 아이들이 나에게 동물인형을 가지고 이야기를 해주었단다. 오늘은 00의 이야기를 들으려고 왔어”	

2. 자아탐색		
단계	상담원	유의사항
2.1 자신을 상징하는 동물인형 찾기	① "여기 있는 동물인형들 중에서 나라고 생각하는 동물을 골라보자." (부연설명) 잘 고르지 못하면, "어떤 동물이 나와 닮았는지 찾아보자." "00동물을 골랐구나. 나라고 생각되는 동물이 또 있는지 다시 골라보자." "이번엔 00동물을 골랐구나. 2개 더 골라보자."	아동이 동물인형들을 눈으로 살펴보고 있는 모습을 지켜보면서 "동물들을 보고 있구나." 라며 아동의 움직임에 따라 천천히 진행한다.
	② "00동물이 왜 나라고 생각했어?" (부연설명) "어떤 부분이 나랑 닮았다고 생각이 드니?" C: 귀엽긴 하지만 조금 느린... 받아들이는 게 좀 느린... T: 느리게 행동하거나, 느리게 반응하는 것을 생각해볼 수 있구나	만약 동물인형을 4개까지 선택하지 못하면 선택한 수에서 멈춰도 된다.
	(답을 하지 못하면) 00동물이 00와 닮았다고 생각했구나.	4개의 동물인형을 가져온 이유를 모두 듣는다.
	③ "00가 고른 동물인형을 잘 기억할 수 있게 사진을 찍을 거야."	녹음기와 별도로 사진 찍을 도구를 준비한다.
2.2 자신이 소망하는 동물인형 찾기	④ "이번엔 내가 소망하는 동물을 찾아보는 거야. 00는 어떤 동물이 되고 싶은지 골라보자." "00동물을 골랐구나. 되고 싶은 동물이 또 있는지 다시 골라보자." "00는 00동물이 왜 되고 싶을까?" C: 사자처럼 힘이 세고. 코끼리처럼 크고. 앵무새처럼 똑똑하고. 표범처럼 빠르고.. T: 힘이 세고, 크고, 똑똑하고 빠른 동물을 가져왔네. C: 모든 상황에서 힘이 센거요. 집에서나 학교에서나 내 모습.. T: 가정에서나 학교에서 힘이 센 동물을 생각하면서 가져왔구나	4개의 동물을 왜 소망하는지 그 이유를 모두 듣는다. 아동이 가져온 동물은 항상 명명해서 언급해준다.
	"그렇구나. 00가 되고 싶어서 00를 골랐구나." ⑤ "00가 고른 동물인형을 잘 기억할 수 있게 사진을 찍을 거야.	아동이 스스로를 보호할 능력이 현저히 미약한 상태인지 파악하여 평가한다.

3. 가족관계 탐색		
단계	상담원	유의사항
3.1 현재의 가족을 동물인형으로 세우기	① "이번엔 00의 가족들을 골라보자. 00의 가족은 누구누구야?" (답을 듣고) "그렇구나. 엄마라고 생각되는 동물을 골라보자" "00동물을 골랐구나. 00가 왜 엄마 같을까?" C: (엄마를 호랑이로 고름) 엄마는 좀.. 무서운.. 무섭지만 가정을 지키는? T: 무섭지만 가정을 지키는 호랑이를 골랐구나. 어떤 때에 호랑이가 무서울까? C: 혼낼 때. 몸을 아프게 하는.. (답을 하면) "그렇구나. 00모습이 엄마 같구나." (답을 하지 못하면) "무엇이 엄마처럼 보일까?" "이번엔 아빠/형제/자매를 골라보자"	아동이 가족의 이미지를 떠올리기 쉽게 가족에 대해 물은 뒤 가족 구성원 중 한명씩 선택하여 고르게 한 뒤 선택한 이유에 대한 설명을 듣는다. 친한 동물인형을 잘 세우지 못하면 가지고 온 동물인형을 놓고 싶은 대로 세워놓게 한다.
3.2 가족 안에서 친한 사람 세우기	② "동물 중에서 누구 누구가 서로 친한지 친한 동물들끼리 세워보자" "그렇구나. 얘와 얘가 서로 친하고, 얘와 얘가 서로 친하구나." ③ "00가 고른 동물인형을 잘 기억할 수 있게 사진을 찍을 거야."	여기에서 가족 간의 거리감, 방향, 서 있는 모습까지 정확하게 세우게 한다.
3.3 소망하는 가족동물인형 세우기	④ "이번엔 우리 가족이 어떤 동물이었으면 좋겠는지 00가 바라는 동물들로 바꾸어보자." "엄마는 00동물이었는데 00동물이었으면 좋겠는지 골라보자." "왜 00동물이면 좋은 지 말해보자." C: 엄마는 순한 양. 착하고 얌전한 순한 양. T: 착하고 얌전한 순한 양을 골랐구나 "아빠는 00동물이면 좋겠는지 골라와 보자." C: 아빠는 소. 열심히 일을 하고. 뿔이 있어서 약하지 않은 강한 사람.. T: 열심히 일을 하면서도 강한 아빠의 모습을 소망하고 있구나. ⑤ "00가 고른 동물인형을 잘 기억할 수 있게 사진을 찍을 거야."	반복해서 선택하지 않도록 소망하는 부분에 강조점을 두고 선택하도록 돕는다. 가족구성원을 차례로 같은 방식으로 고르게 하고 그 이유를 말하게 한다. 학대행위자가 포함된 가족관계 탐색을 통해 현재 아동이 가족 안에서 안전한지 안전상의 위험요소가 있는지 평가한다.

4. 학대행위자와의 관계탐색		
단계	상담원	유의사항
4.1 학대 행위자에 대한 아동의 인식	① "00(학대행위자)는 너를 무슨 동물로 세울 것 같니?" (부연설명) 00(학대행위자)가 너를 뭘로 고를 것 같니? "00로 고를 것 같구나. 왜 00라고 생각할 것 같은지 말해보자." C: (병아리를 고름) 아직은 아무것도 몰라서 다 가르쳐줘야하고.. T: 아무것도 몰라서 다 가르쳐줘야 하는 병아리로 보는 것 같구나. "그렇구나. 00(학대행위자)가 너를 00로 보고 있구나."	가족관계 안에서 드러난 역동을 활용하여 아동이 학대행위자를 선택하여 이들과의 순환적 질문을 통해 학대행위 과정 및 관계를 탐색하게 한다.
4.2 학대 행위에 대한 구체적 진술 얻기	② "00(학대행위자를 상징하는 동물)가 너를 00로 보고 너를 어떻게 힘들게 할까? (부연설명) "00(아동이 고른 동물인형)는 00(학대행위자 동물인형) 때문에 언제 힘들까? (부연설명) "00(아동이 고른 동물인형)는 언제 힘든 일이 있었는지 말해보자." C: 공부를 봐줄 때.. 시험을 보고 나서.. 학습지나.. T: 학습지나 공부를 봐줄 때 병아리를 힘들게 하는구나. 어떻게 힘들게 하지? C: 큰 소리를 내거나.. 몸을 아프게 하는..	여기서 학대행위자를 아빠나 엄마로 지칭하지 말고 동물이라는 상징으로 표현해서 아동이 학대행위자를 동물인형으로 보고 외상의 경험 및 감정을 떠올리고 은유적으로 이야기하게 한다. 아동에게 뜨거운 격려를 해준다. 대단하다고 이야기를 잘 들려주었다고 칭찬해준다.
4.3 소망하는 동물인형으로 외상 극복하기	"그렇구나. 힘들 때 너는 어떤 마음이니?" C: 무섭고 슬픈.. T: 무섭고 슬픈 마음이 드는구나. (답을 하면) 그렇구나. 공감적 반영을 해준다. (답을 하지 못하면) "그럴 때 너는 어떻게 해야 한다고 생각하니?" ③ "너는 00(학대행위자)를 무슨 동물인형으로 바꾸면 마음이 편해지겠니?" (부연설명) "네가 안전하다고 생각되는 동물로 00를 바꿔보자." C: (호랑이를 닭으로 바꾼다) T: 닭으로 바꿔면 마음이 편할 것 같구나 C: 호랑이보다는 세지 않고.. 같은 입장에서 모르는 것을 처음부터 잘 알려줄 수 있지 않을까 해요.. "용기를 내서 여기 있는 00(아동이 선택한 소망하는 학대행위자 동물인형)에게 하고 싶은 말을 해보자" (부연설명) "네가 바라는 것을 00에게 용기를 내서 말해보는 거야." C: 조금.. 시간이 걸리니까.. 조금만 천천히 기다려줬으면 좋겠어. T: 나도 잘 할 수 있으니까 나를 믿고 조금만 더 시간을 기다려줬으면 좋겠어 라고 닭에게 이야기를 했구나. ④ "00가 고른 동물인형을 잘 기억할 수 있게 사진을 찍을 거야."	아동이 학대행위자로부터 학대를 당한 경험을 구체적으로 파악하고 이를 평가한다. 학대행위자와의 관계탐색과정에서 학대행위자로 선택한 동물인형에 대해 두려움이나 거부감을 표현하는지 파악하여 평가한다. 학대행위자와의 관계탐색과정에서 아동이 학대행위자로부터 분리보호를 요구하는 의사를 표현하는지 파악하여 평가한다. 아동의 의사가 반영될 수 있는 학대행위자와의 관계인지 파악하여 평가한다.

학대행위자 심리진단평가 매뉴얼

1. 순환질문		
단계	상담원	유의사항
1.1 상담원 소개	"오늘은 0월0일 현재 시간은 00입니다. 이제 00에서 000씨와의 면담을 시작하겠습니다." "안녕하세요. 제 이름은 000입니다. 00아동보호전문기관 상담원입니다."	자신의 소속과 동석자를 함께 소개한다.
1.2 면담내용 녹화 소개	"지금부터 나누는 이야기는 녹음이 됩니다. 우리가 이야기하는 것을 제가 다 기억하기 어려워 녹음하고자 합니다."	
1.3 순환질문	① "아동학대 신고에 대해 가족 중 누가 가장 힘들어하나요?" [P: 우리 00(학대아동) T: 00(학대아동)가 가장 힘들어할 것 같으시군요.] "00가 가장 힘들어한다는 사실을 어떻게 알게 되셨나요?" [P: 우리 00가 가장 불안해하잖아. 나랑 떨어질까봐 소리 지르잖아 T: 소리를 지르고 그런 부분 때문에 제일 힘들어할 것이라고 생각이 드시는군요.] "그 다음 또 힘들어하는 사람이 있나요?" ② 이 문제에 대해 가족들은 어떻게 생각하고 있나요? "그렇게 보고 있다는 것을 어떻게 아셨나요?" "또 다른 가족은 어떤가요?" ③ 이 문제에 있어서 00의 편을 들어주는 사람은 누구인가요?" "편이 되어준다는 사실을 어떻게 아셨나요?" ④ 이 문제에 있어서 00를 가장 화나게 하는 사람이 있나요? [P: 00랑 00. T: 그분들만 없으면 00를 화나게 하는 사람은 없으시군요.] "무엇 때문에 화가 나게 되나요?" [P: 00(학대아동)가 치과 치료를 해야 하는데 그거를 썩도록 방치해서 내가 데리고 가서 내 돈 주고 내가 치료해줬지. T: 00(학대아동)이 방치되어 있었다는 것을 알게 되셨군요.] ⑤ 이 문제를 해결하기 위해 누가 가장 애를 쓰고 있나요? "어떤 점이 애를 쓰고 있다고 생각되시나요?" ⑥ "이 문제를 해결하기 위해 무엇이 가장 필요하다고 생각하세요?" [P: 우선 00(학대아동)를 전학시켜서 내가 데리고 살거야 T: 그러면 문제가 해결이 된다고 생각하시는군요.]	답을 잘 하지 못할 경우 가족구성원들을 한 명씩 언급한다. 배우자부터 시작하여 학대아동의 순으로 "00는 어떤가요?" 학대행위자가 아동에게 상해를 입히거나 아동을 위험한 상황에 방치하고 있는 지 순환질문을 통해 파악한다. 학대행위자가 학대행위를 지속하고 있는 점을 순환질문을 통해 파악한다.

2. 가족동물인형 세우기		
단계	상담원	유의사항
2.1 동물인형 소개	"여기에 동물인형들을 준비했습니다. 편안하게 제가 제시한 방식대로 동물들을 선택해주시고 이유를 설명하시면 됩니다."	상담원은 깔개를 깔아 동물인형들을 꺼내놓는다.
2.2 가족관계 탐색	① "먼저 여기 있는 동물인형들 중에서 자신이라고 생각되는 동물을 골라주세요." "00동물이군요. 무엇 때문에 그 동물을 선택하셨나요?" P: 보호할 수 있는. 아무도 안 건드렸으면 좋겠는 가시가 있는. T: 가시가 있는 것을 보고 고르셨군요. ② "이번엔 함께 사는 다른 가족을 골라주세요." "00동물을 고르셨군요. 가족들 중 누구인가요?" "무엇 때문에 그 동물을 선택하셨나요?" P: 아이는 내가 지켜줘야 하고 얘는 불쌍한 애여 가지고 내가 나 아니면 아무도 못 지켜요. T: 내가 지켜줄 수 있는, 보호를 받아야 하는 동물로 선택을 하셨군요. ③ "이제 고르신 동물인형들을 마음에 드는 위치에 세워보세요." P: 이렇게 세우면 될까요? T: 어머님이 생각하시기에 가족 내에 친밀감과 거리감을 생각하시면서 세워보시면 돼요. "00동물은 여기에, 00동물은 이곳에 세우셨군요. 이렇게 세운 이유가 무엇인가요?" ④ 이제 00께서 세운 동물들의 사진을 기억하기 쉽게 사진을 찍어놓겠습니다.	선택을 힘들어하면, "나라고 생각되는 동물, 어떤 게 나와 비슷하다고 생각되세요?" 라고 부연설명을 한다. 상담원은 반드시 선택한 동물을 명명하고 선택한 이유를 바로 묻는다. 선택을 머뭇거리면 학대아동, 배우자 그리고 다른 자녀들 순으로 명명해준다. 가족구성원을 다 고르게 한다. 녹음기와 별도로 사진을 찍을 수 있는 도구를 준비한다.

3. 가족이 보는 학대행위자 동물인형 세우기		
단계	상담원	유의사항
3.1 가족이 보는 학대행위자의 이미지 탐색	① "이제 가족들이 보는 나의 이미지를 하나씩 찾아보겠습니다." " 00(학대아동)는 00를 어떤 동물로 고를 것 같으신가요?" P: 우리 애가 저를요? T: 네. 00(학대아동)가 나를 어떤 동물로 고를 것 같으세요? " 00동물이군요. 무엇 때문이라고 생각하세요?" P: (사슴을 고름) 착하고 좋지만, 뿔을 가지고 있어서 화가 나면 공격을 할 수 있으니까. T: 착하고 좋지만 화가 나면 뿔로 공격을 할 수 있는 사슴을 고르셨네요. ② 이제 00께서 세운 동물들의 사진을 기억하기 쉽게 사진을 찍어놓겠습니다.	학대아동, 다른 자녀 그리고 배우자 및 함께 사는 가족구성원을 같은 방식으로 한명씩 언급하면서 선택하게 한 후 한명씩 선택한 이유를 설명하게 한다. 가족이 학대행위자를 어떻게 인식하며 어떠한 특성이 있는지 학대행위자의 동물이미지와 그 이유를 듣고 평가한다.

4. 소망하는 가족동물인형 세우기

단계	상담원	유의사항
4.1 가족을 바라보는 학대행위자의 인식탐색	① "우리 가족은 이러면 좋겠다. 라고 생각하실 때 00가 생각하는 소망하는 가족을 동물로 골라주세요." P: 하나만 고르는 것이 아니라요? T: 어머님도 고르시고, 아버님도 고르시고, 아이들도 다요. 00가 소망하는 가족을 모두 골라주시면 돼요. P: 표현하는 게 어렵네요. T: 딱 보시기에 이거였으면 좋겠다는 것을 골라주시면 돼요.	이해를 돕도록 부정적 이미지의 가족들을 긍정적 이미지로 바꾼다면 어떤 동물을 선택할 것인지 부연 설명한다.
	"00동물을 고르셨군요. 가족들 중 누구인가요? 무엇 때문에 00가 00동물이기를 소망하시나요?" P: (사자를 고름) 저는 아이들이나 집을 위해서, 뭔가를 하기 위해서는 강해야 된다고 생각해요. T: 이 가정을 위해서 강해야 하는 사자를 고르셨군요.	선택을 하면 누구이고 무엇 때문인지 바로 질문한다.
	② "다른 가족들도 골라주세요." "00동물을 고르셨군요. 가족들 중 누구인가요? 무엇 때문에 00가 00동물이기를 소망하시나요?" P: (배우자를 수달로 고름) 수달이 자기애들한테 잘하잖아요. 일상생활도 잘 챙겨주고, 뭔가 자기가 할 것도 잘 하고 그런거요. 애들한테 엄마도 필요하고. T: 아이들한테 엄마가 필요하고, 엄마라는 역할도 지켜내야 하는 수달을 고르신거네요.	가족들을 같은 방식으로 선택하게 하고 같은 방식으로 질문한다.
	③ 이제 00께서 세운 동물들의 사진을 기억하기 쉽게 사진을 찍어놓겠습니다.	가족관계 속에서 학대행위자의 그릇된 인식을 파악하고 평가한다.

5. 학대아동의 동물인형 세우기		
단계	상담원	유의사항
5.1 학대행위자가 생각하는 학대아동의 인식탐색	① "00가 생각할 때 00(학대아동)를 떠올리는 동물인형 4개만 골라주세요." P: 소망하는 것이 아니라 지금 있는 모습을 네 마리로 동물로 표현하면 되나요? T: 네. 00가 생각하실 때요. 아까 00동물 모습도 있고, 00동물 모습도 있다고 하셨는데 다 포함해서 하셔도 되고요. "00동물인형을 무엇 때문에 선택했나요?" P: 느리고 답답하기도 하고, 겁도 많고, 보호해줘야 돼 T: 00에 대한 이미지가 네 개가 나왔군요. "이중에서 가장 마음에 안 드는 아동의 모습은 어떤 건가요?" "00동물인형(마음에 안 드는 아동의 모습)을 보면서 어떻게 하셨나요?" ② "이번엔 00(학대아동)가 이런 모습이면 좋겠다. 라고 생각되는 동물인형을 하나 골라주세요. P: (00(학대아동)을 강아지로 고름) T: 강아지를 고르셨네요. P: 교육을 시키게 되면 그대로 따를 수 있는 강아지요. T: 교육을 할 때 00(학대아동)가 잘 따라 와주기를 바라시면서 강아지를 고르셨네요. ③ 이제 00께서 세운 동물들의 사진을 기억하기 쉽게 사진을 찍어놓겠습니다.	이전에 선택했던 동물을 포함해도 되고(가족 중 선택했거나 소망을 선택했던 동물인형), 새롭게 떠오른 이미지를 선택해서 가져오게 해도 된다. 동물인형을 선택한 이유를 하나씩 설명하게 하는데 중복된 동물인형의 설명도 반복해서 듣는다. 학대행위자가 학대의 심각성 및 지속성이 있는지를 파악하고 학대에 대한 인식을 학대아동에 대한 인식탐색을 통해 평가한다.

2. 동물상징 성격유형검사(ASPT)

동물상징 성격유형검사(Animal Symbols Personality Type)는 인형치료 이론에 토대를 둔 인형심리평가를 기초로 구성된 온라인 성격검사이다. 개인이 선호하는 양식에 따라 개인의 사고, 감정, 행동을 특징짓는 법주 또는 성격유형이 결정된다. ASPT는 10개의 성격유형에서 개인이 어떠한 위치에 해당하는지를 결정하기 위해 10가지 양식들 중 상대적으로 그 사람에게 우세한 양식을 나타내주는 개인 내 상대 측정치이다. 예를 들어, 야생육식의 단독생활을 하는 동물들을 선택한 사람은 주도 및 통제의 선호양식으로써 개인의 흥미, 가치관, 동기의 중요한 결정요인이 된다.

ASPT는 초등학생에서 성인에 이르기까지 개인의 성격 연구에 유용하며, 개인 상담과 진로상담 모두에서 유용한 부가적 검사로 활용될 수 있다. 상담자가 접수면접 시 내담자로부터 탐색하고자 하는 객관적 자료를 제공해줄 수 있는 사정평가로 사용하는데 유용하다. 개인 상담에서는 내담자의 자기인식을 증진시키고 치료과정을 계획하기 위해 성격구조 탐색이 필요한데 성격이나 생활방식 측면들을 측정하는 척도들은 개인에게 문제를 유발시킬 수 있는 특성과 사건들을 밝혀줄 수 있다. 또한 성격척도는 내담자로 하여금 자신의 성격특성이 현재 겪고 있는 문제 또는 행동패턴들에 얼마나 영향을 미치고 있는 지를 스스로 인식할 수 있도록 돕는데 이용될 수 있다.

ASPT에서는 8개의 문항에서 30가지의 동물들 중 하나를 선택하게 하는 강제-선택형 문항의 검사방식을 따른다. ASPT에서 사용하는 30가지의 동물인형은 다음과 같다.

<사슴, 코끼리, 기린, 버팔로, 캥거루, 돌고래, 물개, 북극곰, 뱀, 흑표범, 악어, 호랑이, 토끼, 젖소, 양, 말, 낙타, 개, 수탉, 돼지, 고양이, 원숭이, 부엉이, 독수리, 늑대, 암사자, 미어캣, 달팽이, 고슴도치, 여우>

피검자는 8개의 각 문항별로 가장 선호하는 동물을 한 가지 선택하며 어떤 동물을 선택했는지에 따라 서로 다른 동물의 개수가 부여된다. 그런 뒤 부여된 동물의 개수에 따라 그 동물과 관련된 성격유형이 결정된다. 이렇게 해서 개인의 성격 프로파일을 만들 수 있으며, 표준화 과정을 통해 얻어진 프로파일에서 유형화된 5가지 진로성격 유형 중 각 피검자가 어떤 직업 흥미도에 속해있는지를 밝힘으로써 그 피검자의 흥미에 부합하는 직업을 찾도록 도와준다.

첫째, 동물상징 성격유형검사(Animal Symbols Personality Type)는 동물상징의

성격특성에 따른 분류에서 개인의 기질적 성격특성을 6가지로 분류한다. 야생동물이 갖는 자유, 독립, 주도권을 추구하는 사람, 가축동물이 갖는 길들임, 사회성, 관계, 의존을 추구하는 사람으로 크게 나눈다. 여기에 초식동물이 갖는 순응, 온순, 약함, 수동성을 추구하는 사람, 육식동물이 갖는 공격, 힘, 지배, 능동성을 추구하는 사람이 더해진다. 동물의 생활방식에는 두 가지가 있다. 무리생활이 갖는 소속감, 법과 질서, 집단의식, 안정, 외향성을 추구하는 사람, 단독생활이 갖는 주체성, 경계, 외로움, 스스로 책임지는 삶, 내향성을 추구하는 사람으로 분화된다.

둘째, ASPT는 개인의 기질적 성격특성을 토대로 개인의 성격유형을 10가지로 유형화하여 설명하고 있다. 10가지 유형의 구체적인 주요 내용은 다음과 같다.

① 목표/성취 유형
목표와 성취를 향해 추진력을 가지고 자신의 재능과 능력을 끊임없이 개발하는 사람

② 이상/비현실 유형
현실에 만족하지 않고 자신을 성찰하면서 이상을 쫓아 자기에게 몰두하는 사람

③ 주도/통제 유형
주도권을 추구하면서 힘과 통제력을 가지고 관계보다는 성취를 중요하게 여기는 목표 중심의 사람

④ 적응/수동 유형
책임과 의무에 충실하고 타인의 요구와 주어진 틀에 적응하는 수동적 자세를 갖는 사람

⑤ 지킴/수호 유형
소속감과 강한 의무감으로 책임감을 느끼고 헌신적으로 가치와 문화를 지키고자 하는 사람

⑥ 자유/산만 유형
개인의 자유를 중요하게 여기며 틀에 박힌 일보다는 다양한 것들에 관심과 흥미가 있는 창조적인 사람

⑦ 관찰/분석 유형
매사에 신중하며 자기 자신을 드러내지 않으면서 모든 것을 파악하려고 늘 관찰하고 분석하는 사람

⑧ 충성/협동 유형
소속감이 중요하여 개인적인 부분보다 집단을 중요시하며 집단의 가치와 의무를 충실하게 따르고 협력하는 사람

⑨ 경계/방어 유형
다른 사람의 통제를 받지 않기 위해 자기만의 삶의 방식과 인간관계 방식을 고수하고 방어적 자세로 주도권을 지키려는 사람

⑩ 수용/화목 유형
환경에 적응하기 위한 다양한 성격을 발전시켜 긴장과 갈등을 피하고 화목하기 위해 수용적인 중재자 역할을 하는 사람

셋째, ASPT는 개인의 10가지 유형화된 성격특성에 따라 5가지 진로성격유형으로 구성하였다. 구체적인 진로성격유형의 내용은 다음과 같다.

① 성취형 (목표/성취:1번 유형, 주도/통제: 3번 유형)
성취의 목표를 위해 주도권을 가지고 다른 사람을 설득하거나 이끌어 갈 수 있으며 자신의 재능과 능력을 발휘하는 유형

② 이상형 (이상/비현실: 2번 유형, 자유/산만: 6번 유형)
직관적이며 다양한 호기심을 갖고 자기의 일에 몰두하며 틀에 박힌 일보다는 창의적이고 새로운 것을 추구하는 유형

③ 사회형 (적응/수동: 4번 유형, 수용/화목: 10번 유형)
다양한 환경과 사람들에게 적응하는 능력을 가지고 주어진 틀에 적응하며 자기의 책임과 의무에 충실하고 다른 사람을 돌보고 치료하는 관계 중심적 유형

④ 탐구형 (관찰/분석, 7번 유형, 경계/방어: 9번 유형)
자신만의 방식을 따라 통제받지 않고 지적, 논리적 호기심을 가지고 정보를 수집하고 객관화하여 이성적이고 합리적으로 문제를 해결하는 유형

⑤ 관습형 (지킴/수호: 5번 유형, 충성/협동: 8번 유형)
소속감을 중요하게 여기며 원칙을 고수하고 헌신적으로 가치와 문화를 충실히 따르며 자기 훈련이 잘되어 있어 체계적이고 조직적인 일을 현명하고 공정하고 정직하게 처리하는 유형

동물상징 성격유형검사 결과지
(ASPT : Animal Symbol Personality Type)

이름 :	**생년월일 :**	**성별 :**	**기관명 :**	**검사일 :**

ASPT는 성격특성을 10가지로 유형화하여 개인의 성격유형을 설명하고 있으며 개인의 성격특성에 따라 5가지 진로성격유형을 구성하였습니다.

성격특성 프로파일

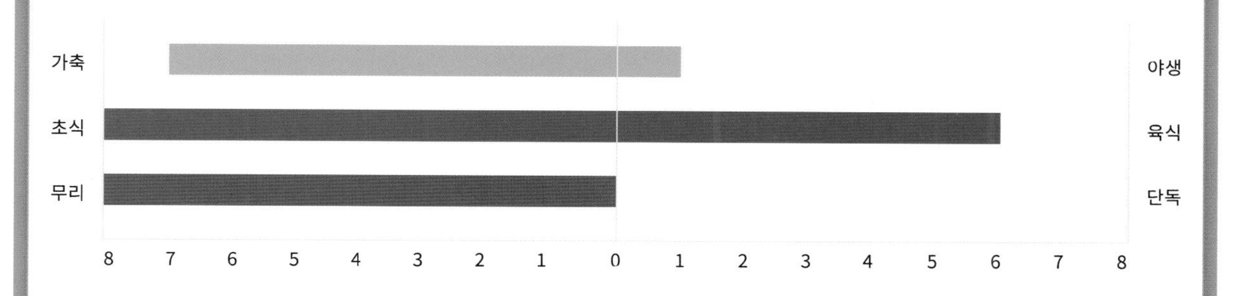

동물상징의 성격특성 의미

- 가축 사회성, 길들임, 관계, 의존
- 초식 순응, 온순, 약함, 수동성
- 무리 소속감, 법과 질서, 협력, 집단의식, 안정, 외향성
- 야생 자유, 독립, 주도권
- 육식 공격, 힘, 지배, 능동성
- 단독 주체성, 경계, 고립, 외로움, 스스로 책임지는 삶, 내향성

당신의 주요성격은 **지킴/수호**입니다.

주요성격	**지킴/수호**

: 소속감과 강한 의무감으로 책임감을 느끼고 헌신적으로 가치와 문화를 지키고자 하는 사람

성격특성

외향성과 내향성 모두를 가지고 있다. 자신이 중요하다고 여겨지는 원칙, 가치와 문화를 지키려고 한다. 공격, 지배, 및 통제와 같은 능동적 자세와 더불어 온순하고 순응적인 수동적 자세를 모두 갖고 있다. 무리 안에서 소속감을 중요하게 여기며 강한 의무감을 느낀다. 원칙을 고수하며 자기 훈련이 잘되어 있고 현명하고 공정하고 정직하여 남들에게 의지가 되는 성격이다. 반면에 판단하려고 하고 독단적이며 융통성이 없다. 지나치게 심각한 자세를 가지며 원칙에 어긋나면 상대를 통제하거나 비판한다. 불안감이 높고 강박관념과 우울감이 있다. 장점은 높은 기준의 윤리의식을 가지고 있으며 합리적이고 책임감이 강하고 헌신적이다. 올바른 것과 문제가 되는 것을 잘 간파하며 충직하고 헌신적이며 양심적으로 사람들을 잘 돕는다. 적절한 자기 훈련과 열심히 하려는 자세로 인해 열심히 일하고, 일을 잘 성취한다. 통합적인 사고를 하고 이해력이 좋으며 지혜로운 해결책을 제시한다.
단점은 지나친 책임감으로 인해 부담감을 느끼고 강박관념에 시달린다. 완벽주의 성향을 가지고 있으며 기대치에 못 미칠 때 자신과 사람들에게 실망한다. 신경이 날카롭고 걱정이 많으며 매사에 지나치게 심각하다. 비판적이고 논쟁하려 들며 완고하고 사사건건 트집을 잡는다. 자신과 다른 사람들에게 높은 기준을 요구한다.

제언

자기 자신을 지나치게 판단하지 않고 자신의 모든 점을 있는 그대로 받아들이는 수용이 필요하다. 타인들과 안정적인 관계를 맺기 위해서는 통합의 지혜가 필요하다. 관계 안에서 상대방의 한 부분만 평가하고 판단하는 것이 아닌 전체적인 면을 보려는 노력이 필요하다. 이러한 통합적 자세는 지혜로운 해결책을 얻는 에너지의 원천이 되어 사람들을 고무시키는 고결한 인격의 소유자가 될 수 있다.

특이사항

에난치오드로미아(대극의 반전)
어느 하나의 성격이 지나치게 강해지면 그동안 잘 사용하지 않던 열등한 성격이 주요한 성격을 압도하여 갑자기 활성화된다. 결과적으로 평상시 성격과 달리 전혀 다르게 행동하게 되며 이것은 불안정하고 예측이 어려운 성격으로 비쳐질 수 있다. 이러한 경우는 스트레스 상황이 계속되어 심리적 균형이 깨어지는 경우 갑자기 일어날 수 있다.

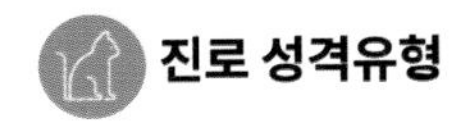

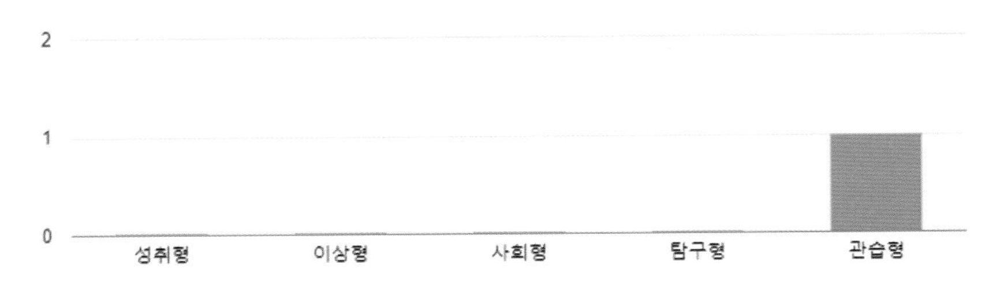

성격특성에 따른 진로성격유형은
관습형입니다.

관습형

소속감을 중요하게 여기며 원칙을 고수하고 헌신적으로 가치와 문화를 충실히 따르며 자기 훈련이 잘되어 있어 체계적이고 조직적인 일을 현명하고 공정하고 정직하게 처리하는 유형

추천직업목록

외교관, 검사, 판사, 행정가, 공무원, 변리사, 회계사, 은행원, 세무사, 감사원, 경리사원, 안전 관리사, 법무사, 영양사, 사이버보안 관리, 관리인, 회사원, 의료기술자, 측량사, 군인, 관제사, 정비사, 의사, 우주항공사, 항공기 조종사, 약사

참고문헌

Abt, T. (2005). Introduction to Picture Interpretation: According to C. G. Jung. Zuerich: Living Human Heritage Publications.

Allen, J. G. (2010). 트라우마의 치유. 권정혜, 김정점, 조용래, 최혜경, 최윤경, 권호인, 공역. 서울: 학지사.

Bradshaw, 1996

Eastwood, P. S. (2002). 정정순, 김보애, 정선영 역, 모래놀이치료와 수 상징. 서울: 학지사.

Eliade, M. (1998). 이재실 역, 이미지와 상징, 서울: 까치.

Fontana, D. (1998). 최승자 역, 상징의 비밀. 서울: 문학동네.

Franz, von M. R. (1990), Zahl und Zeit. Stuttgart: Klett-Cotta.

Franz, von M. R. (1992), Zeit, Stroemen und Stille. Koesel.

Haarmann, H. (2013). Weltgeschichte der Zahlen. Muenchen: Verlag C. H. Beck oHG.

Haley, J. (1963). Strategies of Psychotherapy. New York: Grune & Stratton.

Hauser, A. (2016). 문학과 예술의 사회사1: 선사시대부터 중세까지. 백낙청, 염무웅, 반성완 공역. 서울: 창비.

Hellinger, B. (2002). Der Austauacb. Heidelberg: Carl-Auer-Syateme Verlag.

Jaffe, A. (1983). Der Mythos vom Sinn im Werk von C. G. Jung. Zurich.

Jung, C. G. (1963). Gesammelte Werke Bd. 11. Zur Psychologie westlicher und oestlicher Religion. Walter-Verlag.

Jung. C. G. (1996). 인간과 상징. 이윤기 역. 서울: 열린책들.

Jung. C. G. (2002). 기본 저작집 2, 원형과 무의식. 한국융연구원 번역위원회 역, 서울: 솔.

Kalff, D. (2012). 도라 칼프의 모래놀이. 이보섭 역, 서울: 학지사.

Kellert, S. (1995). 카오스란 무엇인가. 박배식 역. 신과학총서 46. 범양사.

Menninger, K. (2005). 수의 문화사. 김량국 역, 서울: 열린책들.

Minuchin, S. (1979). Families & Family Therapy. Cambridge, Massachusetts: Harvard University Press.

Ouaknin, M. A. (2006). 수의 신비. 변광배 역. 서울: 살림.

Rollo, M. (2015). 신화를 찾는 인간. 신장근 역. 서울: 문예출판사.

Tresidder, J. (2007). 상징이야기, 김병화 역. 서울: 도솔.

강소민, 선우현 (2019). 놀이치료에 의뢰된 학대피해아동에 대한 인형심리진단평가 사례연구. 한국기독교상담학회지. 30(3), 9-42.
경혜자, 정혜전, 선우현 (2019). 인형심리진단평가에 나타난 가톨릭 수도자의 자기 및 타인인식과 관계 특성 연구. 한국기독교상담학회지, 30(1).
곽금주 (2002). 아동심리평가와 검사. 서울: 학지사.
곽태임 (2005). 동물형상의 상징적 표현에 관한 연구: 본인 작품을 중심으로. 서울: 홍익대학교 대학원 석사학위논문.
김금신, 최광현(2019). 인형진단평가를 통한 탈북청소년의 자기인식에 대한 상징체계연구. 인형치료연구, 5(1), 1-21.
김명숙, 최광현 (2015). 인형치료를 통한 부부간의 역기능적 체계에 대한 사례연구. 인형치료연구, 1(1), 43-65.
김준기 (2009). 영화로 만나는 치유의 심리학. 서울: 시그마북스.
노경희, 선우현, 최광현 (2016). 우울한 아동에 대한 인형치료 진단평가연구. 청소년시설환경, 14(1), 109-122.
류소영, 선우현(2019). 인형진단평가에 나타난 또래관계 어려움을 호소하는 중학생의 심리특성: 학교상담실을 방문한 중학생을 대상으로. 한국기독교상담학회지, 30(4). 77-115.
박두연, 최광현(2020). 부부갈등 남성 내담자의 동물인형 상징을 통한 심리진단 사례연구. 인형치료연구, 6(1). 1-20.
박미경, 최광현(2018). 퇴직을 경험한 중년남성의 자기인식, 타인인식, 가족관계에 대한 상징체계 분석. 4(1), 1-18.
배우열, 선우현 (2017). 또래관계 문제로 의뢰된 비자발적인 청소년내담자를 위한 인형진단평가 사례연구. 청소년시설환경, 53(3), 17-29.
배우열, 선우현 (2018). 학교폭력 피해로 또래 관계 어려움을 호소하는 청소년 내담자 인형치료 사례연구. 청소년시설환경, 16(2), 15-26.
선우현, 최광현, 이진숙, 정미희 (2015). 성학대 아동의 진단평가 도구로서 인형치료. 청소년시설환경, 13(3), 53-61.
선우현, 황인정(2017). 인형치료 집단프로그램에 나타난 다문화 아동의 자기인식과 타인인식 경험에 대한 현상학적 연구. 인형치료연구, 3(1), 1-15.
선우현, 박현주(2018). 자유학기제 '공감 두드림, 동물의 왕국' 체험 활동에 나타난 중학생의 수(數) 상징체계 연구. 인형치료연구, 4(1), 33-49.
양인애, 선우현(2018). 인형진단평가에 나타난 다문화아동의 자기인식, 가족관계, 또래관계의 상징체계 분석. 한국놀이치료학회, 21(2), 273-294.
양인애(2018). 인형진단평가에 나타난 다문화아동의 타인인식 상징체계 분석. 인형치료연구, 4(1), 19-32.

우재현, 김춘경, 오제은, 최웅용 (2000). 가족치료 사전. 서울: 한국상담아카데미 정암서원.

윤치연 (2016). 아동심리평가. 서울: 학지사.

염창현, 선우현 (2020). 보육교사의 자기인식, 타인인식, 가족관계 탐색에 나타난 상징체계 분석. 인형치료연구, 6(1). 21-37.

정혜전, 선우현 (2017). 인형을 활용한 심리진단평가에 나타난 아동학대행위자 특성 연구. 인형치료연구, 3(1), 17-41

최광현 (2008). 가족세우기 치료: 트라우마에 대한 통찰과 해결. 서울: 학지사.

_____ (2012). 가족의 두 얼굴. 서울: 부키.

_____ (2013a). 인형치료: 트라우마 가족치료에 대한 적용. 서울: 학지사.

_____ (2016). 인형치료: 상징체계의 활용과 적용 모델. 서울: 학지사.

_____ (2013b). '가정 내 성폭력(근친상간) 피해 청소년 내담자에 대한 인형치료 사례연구'. 청소년시설환경. 11(4), 29-40.

_____ (2014a). 가족의 발견. 서울: 부키.

_____ (2014b). 청소년 내담자를 위한 인형치료에서 '내면아이'의 중요성과 치료적 활용에 관한 사례연구. 청소년시설환경, 12(4), 211-223.

_____ (2015). 학교상담에서 인형치료를 활용한 청소년 활동. 한국청소년시설환경학회. 2015 춘계학술대회, 59-62.

_____ (2016a). 가족 트라우마와 상징체계. 인형치료연구, 2(1), 1-19.

_____ (2016b). Olson의 Circumplex 모델을 통한 다문화가정의 가족기능과 다문화 아동의 자아탐색, 또래 및 가족탐색 연구. 청소년시설환경, 14(4), 1-10.

_____ (2017). 동물인형 사파리와 수(數) 상징체계-인형치료에서의 청소년내담자를 중심으로. 청소년시설환경, 15(1), 97-106.

_____ (2018). 부부・가족 인형치료. 서울: 한국인형치료연구회.

최광현, 선우현 (2016). 인형치료: 상징체계의 활용과 적용 모델. 서울: 학지사.

최광현, 선우현, 장화정, 강인수, 김다애 (2016). 학대피해아동 심리진단평가 매뉴얼-인형치료의 활용. 서울: 보건복지부 & 중앙아동보호전문기관.

최광현, 선우현, 장화정, 강인수, 김다애 (2016). 학대행위자 심리진단평가 매뉴얼-인형치료의 활용. 서울: 보건복지부 & 중앙아동보호전문기관.

신효인 (2012). 데페이즈망기법을 응용한 인간 삶의 상징적 표현 연구: 동물 이미지를 중심으로. 서울: 국민대학교 대학원 석사학위논문.

최광현

한세대학교 심리상담대학원 교수
독일 Bonn 대학 가족상담학 전공 박사

선우현

명지대학교 통합치료대학원 아동심리치료학과 교수
독일 Koeln대학 아동가족심리학 전공 박사

인형심리평가

1판발행일 • 2020년 11월 30일
2쇄발행일 • 2024년 11월 30일

엮은이 • 최광현, 선우현
펴낸이 • 최재일
펴낸곳 • 한국인형치료연구회
주 소 • 경기도 군포시 산본로 324번길 8
전 화 • 031-457-2960
홈페이지 • http://www.figuretherapy.org
등 록 • 제 402-2016-000013호
정 가 • 20,000원

03180
9 791195 827947
ISBN 979-11-958279-4-7

값 20,000원